CHEFS-D'ŒUVRE UNIVERSELS

D1518030

«Au Service de Sa Majesté» est commenté par Pierre Reyss.

Titre original : *The Jungle Book*
©Éditions Gallimard,1994, pour les illustrations
©Éditions Gallimard,1992, pour la traduction
©Éditions Gallimard,1994, pour la présente édition

Le Livre de la Jungle

de
Rudyard Kipling
illustré par Christian Broutin

traduit par Philippe Jaudel
commenté par Pierre Pellerin

Gallimard Jeunesse

Sommaire

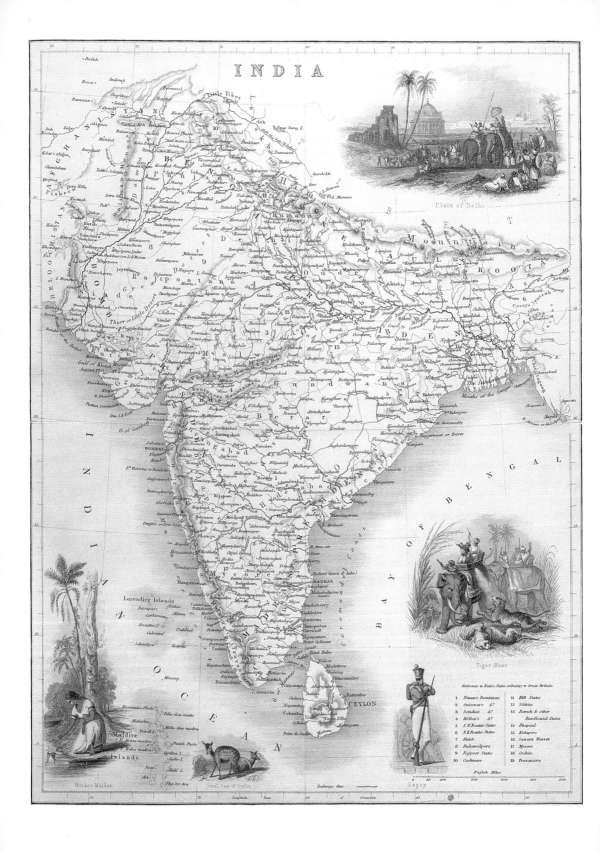

INDIA

Plain of Delhi

Tiger Hunt

BAY OF BENGAL

INDIAN OCEAN

Laccadive Islands

Maldive Islands

CEYLON

Hindoo Maiden

Small Deer of Ceylon

Sepoy

Reference to Native States tributary to Great Britain.

1	Nizam's Dominions	11	Hill States
2	Onicowar's d.º	12	Sikkim
3	Scindia's d.º	13	Rewah & other
4	Holkar's d.º		Bundlecund States
5	S.W Frontier States	14	Bhopaul
6	N.E Frontier States	15	Kolapore
7	Kutch	16	Sawunt Warree
8	Bahawulpore	17	Mysore
9	Rajpoot States	18	Cochin
10	Cashmere	19	Travancore

English Miles

LES FRÈRES DE MOWGLI

❝ Bagheera…
l'appelait : « Viens, petit
frère », et, au début,
Mowgli s'agrippait
à la manière d'un
paresseux. ❞

C'est Rann le milan qui fait rentrer la nuit
Que lâche Mang la pipistrelle…
Étable et hutte abritent le bétail,
Car jusqu'au jour nous l'aurons belle.
Voici l'heure d'orgueil et de puissance,
Des serres, des crocs et de l'ongle.
Oyez l'appel ! Bonne chasse à vous tous
Qui suivez la loi de la jungle !

Chant de nuit de la jungle

Il était sept heures, par une très chaude soirée, dans les collines de Seeonee, lorsque Père loup s'éveilla de son sommeil journalier, se gratta, bâilla et étira les pattes l'une près l'autre pour chasser de leur extrémité la sensation de torpeur. Mère louve était étendue, son gros museau gris posé sur ses quatre petits qui se culbutaient en poussant des cris aigus, et le clair de lune pénétrait dans l'ouverture de la caverne où vivait toute la famille.

Rudyard Kipling publia *Le Livre de la jungle* en 1895-1896 ; l'Inde était alors sous la domination des Anglais ; elle faisait partie de l'Empire britannique (carte de l'Inde anglaise en 1882, page de gauche). Kipling, qui y vécut jusqu'à l'âge de sept ans, s'inspira de ses souvenirs d'enfance pour écrire les sept récits qui constituent *Le Livre de la jungle*.

Le loup de l'Asie des moussons a un pelage plus court et moins fourni que celui des contrées nordiques et il est de plus petite taille.

R. Kipling (1865-1936) naquit au Pendjab, dans le nord de l'Inde, où son père était directeur de l'école des Arts de Lahore. Il publia de nombreux romans, poèmes et nouvelles à la gloire de l'Angleterre conquérante.

« Aougr ! dit Père loup, il est temps de se remettre en chasse. »

Et il allait bondir vers le fond de la vallée lorsqu'une petite ombre à queue touffue franchit le seuil et dit d'une voix geignarde :

« Bonne chance à vous, ô chef des loups ; bonne chance et fortes dents blanches aux nobles enfants, pour qu'ils n'oublient jamais les affamés en ce monde. »

C'était le chacal Tabaqui, le Lèche-Plat ; or les loups de l'Inde méprisent Tabaqui parce qu'il court partout, qu'il sème le trouble et colporte des cancans, tout en mangeant de vieux chiffons et des lambeaux de cuir qu'il prend sur les dépotoirs des villages. Mais ils ont peur de lui, aussi, parce que Tabaqui, plus que tout autre dans la jungle, est sujet aux accès de folie : alors, comme s'il n'avait jamais eu peur de personne, il court à travers la forêt, mordant tout ce qui se trouve sur son chemin. Même le tigre s'enfuit et se cache lorsque le petit Tabaqui est pris de folie, car la folie est le plus grand déshonneur qui puisse frapper un animal sauvage. Nous l'appelons hydrophobie, mais eux l'appellent *dewanee*, la folie, et s'enfuient.

« Entre donc et regarde, dit Père loup avec raideur ; mais il n'y a rien à manger ici.

– Pour un loup, rien, dit Tabaqui ; mais pour quelqu'un d'aussi misérable que moi, un os décharné est un régal. Que sommes-nous, nous autres *gidur-log*, pour faire la petite bouche ? » Il se précipita au fond de la caverne, où il trouva un os d'antilope auquel adhérait un peu de chair, s'assit et se mit à en croquer le bout avec entrain. « Un grand merci pour ce bon repas, dit-il en se pourléchant les babines. Qu'ils sont beaux, les nobles enfants ! Quels grands yeux ! Et si jeunes encore ! Mais voyons, voyons, j'aurais dû me rappeler que les enfants des rois sont tout de suite des hommes. »

Or Tabaqui savait aussi bien que personne que rien ne porte plus malheur que de faire devant eux des compliments aux enfants ; et il eut plaisir à voir que Mère louve et Père loup avaient l'air mal à l'aise. Tabaqui restait immobile sur son séant, réjoui du trouble qu'il venait de semer ; puis il dit d'un ton méchant :

« Shere Khan, le Grand, a changé de terrain de chasse. Il

va chasser dans ces collines-ci, à la prochaine lune, m'a-t-il dit. »

Shere Khan était le tigre qui vivait près des rives de la Waingunga, à vingt milles de là.

« Il n'en a pas le droit ! commença Père loup, en colère… En vertu de la loi de la jungle, il n'a pas le droit de changer de territoire sans avertir dans les formes. Il va effrayer tout le gibier à dix milles à la ronde et moi… moi, je dois tuer pour deux, ces temps-ci.

– Sa mère ne l'a pas appelé Lungri pour rien, dit Mère louve, tranquillement. Il boite d'un pied depuis sa naissance. C'est pourquoi il n'a jamais tué que du bétail. À présent les villageois de la Waingunga sont furieux contre lui et il vient ici provoquer la fureur des nôtres. Ils battront la jungle à sa recherche alors qu'il sera loin, et nous et nos enfants devrons nous enfuir quand on aura embrasé l'herbe. Vraiment, nous sommes très reconnaissants à Shere Khan !

– Dois-je lui faire part de votre gratitude ? dit Tabaqui.

– Hors d'ici ! jeta brusquement Père loup. Hors d'ici et va-t'en chasser avec ton maître. Tu as fait assez de mal pour une nuit.

– Je m'en vais, dit Tabaqui tranquillement. On entend Shere Khan en bas, dans les fourrés. J'aurais pu me dispenser de faire la commission. »

Père loup écouta et en bas, dans la vallée qui descendait vers une petite rivière, il entendit la plainte monocorde, sèche, rageuse et hargneuse d'un tigre qui n'a rien pris et se moque que toute la jungle le sache.

« L'imbécile ! dit Père loup. Commencer une nuit de travail par un tel vacarme ! Pense-t-il que nos antilopes sont comme ses bœufs gras de la Waingunga ?

– Chut ! Ce n'est ni le bœuf ni l'antilope qu'il chasse ce soir, dit Mère louve. C'est l'homme. »

La plainte s'était transformée en une sorte de ronron bourdonnant qui semblait venir de toutes les directions de la rose des vents. C'était le bruit qui affole les bûcherons et les nomades à la belle étoile et les fait se précipiter parfois dans la gueule même du tigre.

Tabaqui, le chacal du *Livre de la Jungle*, appartient, comme tous ses congénères d'Asie méridionale et orientale, à l'espèce, encore très répandue, des chacals dorés. Il représente, pour les mammifères, le type le plus avisé et le mieux adapté du charognard. Le tigre Shere Khan appartient à la race des tigres royaux, ceux du Bengale, à leur aise au bord des marécages (ci-dessous) comme sur les contreforts montagneux. C'est le type le plus répandu dans les cirques où on le voit notamment sauter dans un anneau environné de flammes. Le tigre ne vient pas au bord de l'eau uniquement pour s'abreuver. Contrairement à la plupart des autres félins, il adore nager.

Nonchalant, le plus puissant des félins baille. Cette image de délassement ne doit pas faire oublier la puissance exceptionnelle du tigre que les naturalistes considèrent comme supérieure à celle du lion. Le poids varie de 150 à 280 kilos.

« L'homme ! dit Père loup, découvrant toutes ses dents blanches. Pouah ! N'y a-t-il pas assez de scarabées et de grenouilles dans les citernes qu'il lui faille manger de l'homme, et sur notre terrain, encore ? »

La loi de la jungle, qui ne prescrit jamais rien sans raison, interdit à toute bête de manger de l'homme, sauf lorsqu'elle tue pour apprendre à ses enfants à tuer et, dans ce cas, elle doit chasser en dehors du terrain de sa bande ou de sa tribu. La véritable raison en est que tuer un homme signifie, tôt ou tard, la venue de Blancs montés sur des éléphants et armés de fusils et de centaines d'hommes bruns munis de gongs, de fusées et de torches. Alors tous les habitants de la jungle pâtissent. La raison que les bêtes se donnent entre elles est que l'homme est le plus faible et le plus vulnérable de tous les êtres vivants et qu'il est indigne d'un chasseur d'y toucher. Elles disent aussi (et c'est vrai) que les mangeurs d'homme deviennent galeux et perdent leurs dents.

Le ronron s'intensifia et s'acheva par le « Aaarr ! » à pleine gorge du tigre qui charge.

Puis il y eut un hurlement, un hurlement qui n'avait rien du tigre, poussé par Shere Khan.

« Manqué, dit Mère louve. Que se passe-t-il ? »

Le tigre a été plus souvent proie que prédateur. Les maradjahs et les Anglais le chassaient à dos d'éléphants.

Père loup sortit précipitamment à quelques pas de l'ouverture et entendit Shere Khan marmonner et grommeler sauvagement en se démenant dans les broussailles.

« Cet imbécile n'a pas trouvé mieux que de se jeter sur un feu de bûcherons et il s'est brûlé les pieds, dit Père loup, qui poussa un grognement. Tabaqui l'accompagne.

– Quelque chose monte la pente, dit Mère louve, remuant une oreille. Tiens-toi prêt. »

Les buissons frémirent légèrement dans le fourré et Père loup s'accroupit, l'arrière-train sous le corps, prêt à bondir. Alors, si vous aviez été témoin de la scène, vous auriez vu la chose la plus

étonnante au monde : le loup arrêté net à mi-saut. Il s'était élancé avant de voir sur quoi il se jetait, puis avait essayé de se retenir. Le résultat fut qu'après un bond vertical de quatre ou cinq pieds en l'air, il retomba presque à l'endroit où il avait quitté le sol.

« Un homme ! lança-t-il brusquement. Un petit d'homme. Regarde ! »

Droit devant lui, cramponné à une branche basse, se tenait un bébé brun tout nu qui savait à peine marcher : un petit bout de rien, le plus doux et le mieux pourvu de fossettes qui fût jamais venu la nuit dans la caverne d'un loup. Il leva les yeux, dévisagea Père loup et se mit à rire.

« Est-ce un petit d'homme ? dit Mère louve. Je n'en ai jamais vu. Apporte-le ici. »

Un loup qui a l'habitude de transporter ses petits peut, au besoin, prendre un œuf dans sa gueule sans le casser et, bien que Père loup eût fermé les mâchoires sur le dos de l'enfant, pas une

En Inde comme en Europe, le loup aussi a été pourchassé : partout, ses effectifs ont fortement décru. Le loup est devenu un animal infiniment moins répandu qu'au siècle dernier.

11

seule de ses dents n'avait seulement égratigné la peau lorsqu'il le déposa au milieu des louveteaux.

« Qu'il est petit ! Qu'il est nu et… quelle audace ! », dit Mère louve, doucement. Le bébé se frayait un passage entre les louveteaux pour se mettre contre la peau bien chaude. « Holà ! Le voilà qui prend son repas avec les autres. C'est donc cela, un petit d'homme. Par exemple, a-t-on jamais vu louve qui pouvait se vanter de compter un petit d'homme parmi ses enfants ?

– J'ai parfois entendu parler d'une telle chose, mais jamais dans notre bande ni de mon temps, dit Père loup. Il n'a pas un seul poil et je pourrais le tuer en le touchant du pied. Mais regarde, il lève les yeux et n'a pas peur. »

Le clair de lune fut soudain intercepté à l'ouverture de la caverne, car la grosse tête carrée et les puissantes épaules de Shere Khan obstruaient l'orifice. Derrière lui, Tabaqui couinait :

« Monseigneur, monseigneur, il est entré ici !

– Shere Khan nous fait beaucoup d'honneur », dit Père loup, mais ses yeux fulminaient. Que veut Shere Khan ?

– Ma proie. Un petit d'homme est venu par ici, dit Shere Khan. Ses parents se sont enfuis. Donne-le-moi. »

Shere Khan avait sauté sur un feu de bûcherons comme l'avait dit Père loup, et la brûlure douloureuse de ses pieds le rendait furieux. Mais Père loup savait que l'ouverture de la grotte était trop étroite pour livrer passage à un tigre. Déjà, là où il se trouvait, Shere Khan avait les épaules et les pattes de devant comprimées, faute de place, comme le seraient celles d'un homme qui essaierait de se battre dans un tonneau.

« Les loups sont un peuple libre, dit Père loup. Ils obéissent aux ordres de leur chef, et non à ceux d'un quelconque tueur de bétail au pelage rayé. Le petit d'homme est à nous ; et nous pouvons le tuer si cela nous plaît.

Pourvus d'une face humaine, au regard inquiet, le corps entièrement recouvert de poils et se déplaçant à quatre pattes, tels ont pu paraître certains enfants loups trouvés au fond de tanières obscures au pays de Gandhi.

– Si cela vous plaît? Que me parles-tu là de votre bon plaisir? Par le taureau que j'ai tué, vais-je devoir rester le nez fourré dans votre tanière de chiens pour recevoir mon juste dû? C'est moi, Shere Khan, qui parle!»

Le rugissement du tigre emplit la caverne d'un grondement de tonnerre. D'une secousse, Mère louve se dégagea des petits et bondit en avant, ses yeux, comme deux lunes vertes dans les ténèbres, braqués sur les yeux flamboyants de Shere Khan.

«Et c'est moi, Raksha, qui te réponds. Le petit d'homme est mien, Lungri; mien de mien! On ne le tuera pas. Il vivra pour courir avec la bande et pour chasser avec la bande; et, écoute bien, chasseur de petits tout nus, mangeur de grenouilles, tueur de poissons, c'est à toi qu'il finira par donner la chasse! Maintenant va-t'en ou, par le sambar que j'ai tué (je ne mange pas, moi, de bétail affamé), tu vas retourner auprès de ta mère, bête brûlée de la jungle, plus boiteux que jamais tu ne vins au monde! Va!»

Père loup contemplait la scène, étonné. Il avait presque oublié l'époque où il avait conquis Mère louve en combat loyal contre cinq autres loups, où elle courait avec la bande et ne devait pas à la seule courtoisie d'être appelée la Démone. Shere Khan aurait pu braver Père loup, mais il ne pouvait tenir tête à Mère louve, car il savait que, là où il se trouvait, il lui laissait tout l'avantage du terrain et qu'elle se battrait à mort. Il sortit donc à reculons de l'ouverture de la caverne tout en poussant un feulement et, lorsqu'il se fut dégagé, il cria :

«Chien aboie devant sa niche! Nous verrons bien ce que dira la bande de cette idée d'élever des petits d'homme. Ce petit est à moi et c'est à mes dents qu'il reviendra finalement, voleurs à la queue touffue!»

Mère louve se jeta au sol, haletante, au milieu des petits, et Père loup lui dit gravement :

«Shere Khan dit vrai en cela qu'il faut montrer le petit à la bande. Veux-tu quand même le garder, ô Mère?

– Le garder? dit-elle, le souffle coupé. Il est venu tout nu, la nuit, seul et mourant de faim; pourtant il n'avait pas peur!

Attitude menaçante.

Attitude d'attaque.

Sereine neutralité.

Masque de peur...

devenue agressive.

Enfants loups

En 1920, dans le district de Midnapore, deux enfants loups furent découverts par le révérend J.A.L. Singh, en mission dans la région. Les enfants furent appelés Amala et Kamala. Singh raconte dans son journal comment il découvrit ces petits d'homme : « Juste derrière les jeunes loups venait la créature – un être hideux – dont le corps, les mains et les pieds étaient apparemment humains, mais la tête était une grosse boule d'une masse couvrant les épaules et le haut du buste, ne dégageant qu'un net contour du visage, lequel était humain. Une créature affreuse lui emboîtait le pas, exactement pareille à la première mais plus petite. Leurs yeux étaient brillants et perçants à la différence des yeux humains. J'en arrivai tout de suite à la conclusion qu'il s'agissait d'êtres humains. » Les deux enfants furent confiés à un orphelinat.

❝ Akela, le grand loup gris solitaire, qui menait la bande entière par la force et la ruse, était étendu de tout son long sur son rocher… ❞

Regarde, il a déjà écarté un de mes bébés. Et ce boucher boiteux l'aurait tué pour s'enfuir ensuite jusqu'à la Waingunga tandis que les villageois d'ici auraient battu tous nos repaires pour se venger ! Le garder ? Bien sûr que je vais le garder. Sois tranquille, reste étendu, petite grenouille, le temps viendra où tu pourchasseras Shere Khan comme il t'a pourchassé.

– Mais que dira notre bande ? », demanda Père loup.

La loi de la jungle stipule en termes très clairs qu'un loup peut, à son mariage, se retirer de la bande à laquelle il appartient ; mais dès que ses petits ont l'âge de tenir sur leurs pattes, il doit les amener au conseil de bande, qui se réunit en général une fois par mois à la pleine lune, afin que les autres loups reconnaissent leur identité. Après cet examen les petits sont libres de courir où bon leur semble et, tant qu'ils n'ont pas tué leur première antilope, aucune excuse n'est recevable si un membre adulte de la bande tue l'un d'entre eux. Le châtiment est la mort, là où l'on trouve le meurtrier ; et si vous réfléchissez une minute, vous comprendrez qu'il doit en être ainsi.

Père loup attendit que ses petits pussent courir un peu et alors, la nuit de l'assemblée de la bande, il les emmena, ainsi que Mowgli

Le berger allemand est la race de chien la plus proche du loup. Cependant, les loups hurlent ; ils n'aboient pas, sauf ceux de l'Inde.

et Mère louve, au rocher du Conseil, une éminence surmontée de pierres et de gros blocs, où pouvaient se cacher une centaine de loups. Akela, le grand loup gris solitaire, qui menait la bande entière par la force et la ruse, était étendu de tout son long sur son rocher et, à ses pieds, siégeaient une bonne quarantaine de loups de toutes tailles et de tous pelages, des vétérans couleur de blaireau, qui pouvaient à eux seuls venir à bout d'une antilope, aux jeunes loups noirs de trois ans, qui s'en croyaient capables. Cela faisait un an maintenant que le loup solitaire était à leur tête. Il était tombé à deux reprises dans un piège à loup durant sa jeunesse et, une fois, on l'avait assommé et laissé pour mort; aussi connaissait-il les us et coutumes des hommes. On parlait très peu au Rocher. Les petits se culbutaient au centre du cercle que formaient leurs mères et leurs pères assis et, de temps à autre, un ancien s'approchait sans bruit d'un petit, le regardait attentivement et regagnait sa place à pas feutrés. Parfois une mère poussait son petit en plein clair de lune, pour s'assurer qu'on ne l'avait pas oublié. Akela, du haut de son rocher, criait :

« Vous connaissez la loi, vous connaissez la loi. Regardez bien, ô loups ! »

Et les mères anxieuses reprenaient l'appel :

« Regardez, regardez bien, ô loups ! »

Enfin (et les crins de Mère louve se hérissèrent sur sa nuque lorsque vint le moment), Père loup poussa Mowgli la Grenouille, comme on l'appelait, au centre du cercle, où il resta assis à rire et à jouer avec des cailloux qui brillaient au clair de lune.

Akela ne daigna pas lever la tête de ses pattes, mais continua le cri monotone « Regardez bien ! ». Un rugissement étouffé s'éleva de derrière les rochers. C'était la voix de Shere Khan criant :

« Le petit est à moi. Donnez-le-moi. Qu'a le peuple libre à faire d'un petit d'homme ? »

Akela ne daigna même pas dresser les oreilles; il se contenta de dire :

Corps massif extrêmement agile quand il se met en mouvement : le tigre s'anime.

« Regardez bien, ô loups ! Qu'a le peuple libre à faire des ordres de quiconque, hormis le peuple libre ? Regardez bien. »

Il y eut un chœur de grondements sourds, et un jeune loup d'un peu plus de trois ans retourna brusquement à Akela la question de Shere Khan, « Qu'a le peuple libre à faire d'un petit d'homme ? ». Or la loi de la jungle stipule que si le droit d'un petit d'entrer dans la bande fait l'objet d'un litige, deux membres au moins, autres que le père et la mère, doivent parler en sa faveur.

« Qui parle pour ce petit ? demanda Akela. Parmi le peuple libre, qui parle ? »

Le tachetage de la panthère comporte des variantes selon les sous-espèces régionales ; d'ailleurs chaque pelage, dans ces moindres détails, est unique. La robe noire est exceptionnelle, quoique plus remarquée en Asie qu'en Afrique et plus encore en Indonésie, notamment à Java. Bagheera est une panthère mélanique, c'est-à-dire de couleur noire. Elle a

Il n'y eut point de réponse et Mère louve se prépara pour ce qui serait, elle le savait, son dernier combat, si l'on venait à se battre.

Alors le seul animal d'une autre espèce qui soit admis au conseil de bande, Baloo, l'ours brun somnolent qui enseigne aux louveteaux la loi de la jungle, le vieux Baloo, qui peut aller et venir où bon lui semble parce qu'il ne mange que des noix, des racines et du miel, se dressa sur l'arrière-train et poussa un grognement.

« Le petit d'homme… Le petit d'homme ? dit-il. Moi, je parle pour le petit d'homme. Il n'y a pas de mal dans un petit d'homme. Je n'ai pas le don des mots, mais je dis la vérité. Qu'il coure avec la bande, et qu'on l'admette avec les autres. C'est moi-même qui l'instruirai.

– Il nous faut encore quelqu'un d'autre, dit Akela. Baloo a parlé et c'est lui qui instruit nos jeunes. Qui parle, en plus de Baloo ? »

néanmoins une robe tachetée qui apparaît en filigrane sous une certaine lumière. Dans une même portée, il peut y avoir un jeune de robe normale (tachetée) et un autre aux magnifiques éclaboussures ombrées (pelage noir).

Une ombre noire tomba au milieu du cercle. C'était Bagheera, la panthère noire, d'un noir d'encre de la tête à la queue, bien que ses taches de panthère apparussent, sous certains éclairages, comme le motif d'une moire. Tout le monde connaissait Bagheera et personne ne tenait à se mettre en travers de son chemin ; car le félin était aussi rusé que Tabaqui, aussi hardi que le buffle sauvage et aussi téméraire que l'éléphant blessé. Mais il avait la voix aussi douce que du miel sauvage tombant goutte à goutte d'un arbre et la peau plus douce que du duvet.

« Ô Akela et vous, peuple libre, fit Bagheera, ronronnant, je n'ai aucun droit dans votre assemblée ; mais la loi de la jungle dit que s'il s'élève au sujet d'un nouveau petit un doute qui n'entraîne pas mise à mort, on peut racheter la vie de ce petit moyennant un prix. Et la loi ne dit pas qui a et qui n'a pas la faculté de payer ce prix. Ai-je raison ?

– Bravo ! Bravo ! dirent les jeunes loups, qui ont toujours faim. Écoutez Bagheera. On peut racheter le petit. C'est la loi.

– Sachant que je n'ai pas le droit de parler ici, je vous en demande la permission.

– Parle donc, s'écrièrent vingt voix.

– Tuer un petit tout nu est une honte. En outre, vous le trouverez peut-être plus intéressant à chasser quand il sera grand. Baloo a parlé pour lui. Eh bien, à la parole de Baloo j'ajouterai un taureau, et gras de surcroît, fraîchement tué à moins d'un demi-mille d'ici,

❝ Une ombre noire tomba au milieu du cercle. C'était Bagheera, la panthère noire, d'un noir d'encre de la tête à la queue... **❞**

si vous acceptez le petit d'homme, conformément à la loi. Y a-t-il une difficulté ? »

Des dizaines de voix poussèrent une clameur, disant : « Qu'importe ? Il mourra sous les pluies hivernales. Il grillera au soleil. Quel mal peut nous faire une grenouille nue ? Qu'il coure avec la bande ! Où est le taureau, Bagheera ? Qu'on l'accepte ! »

Puis la voix grave d'Akela retentit, qui hurlait :

« Regardez bien ! Regardez bien, ô loups ! »

Mowgli était toujours absorbé par ses cailloux et il ne fit pas attention aux loups lorsqu'ils vinrent l'examiner l'un après l'autre. Enfin ils descendirent tous de la colline en quête du taureau mort et il ne resta plus qu'Akela, Bagheera, Baloo et les loups de Mowgli. Shere Khan rugissait encore dans la nuit, car il était vraiment furieux qu'on ne lui eût pas livré Mowgli.

« Oui, rugis bien, dit Bagheera sous sa moustache, car le temps viendra où cet être tout nu te fera rugir sur un autre air, ou je ne sais rien de l'homme.

– Nous avons bien fait, dit Akela. Les hommes et leurs petits sont sagaces. Il pourra se rendre utile un jour.

– Assurément, utile un jour de besoin ; car nul ne peut espérer mener toujours la bande », dit Bagheera.

Akela ne dit rien. Il pensait au moment qui vient pour tout chef de bande, où sa vigueur l'abandonne et où il s'affaiblit de plus en plus, jusqu'à ce que les loups finissent par le tuer et qu'un nouveau chef paraisse… pour être tué à son tour.

« Emmène-le, dit-il à Père loup, et forme-le comme il sied à un membre du peuple libre. »

Et c'est ainsi que Mowgli fut admis dans la bande des loups de Seeonee au prix d'un taureau et sur la recommandation de Baloo.

À présent il vous faut accepter de sauter dix ou onze années entières et vous contenter de deviner la vie merveilleuse que mena Mowgli parmi les loups, parce que, couchée par écrit, cette vie emplirait je ne sais combien de livres. Il grandit avec les louveteaux, quoique ceux-ci, naturellement, fussent devenus adultes presque

Rapace nocturne, le hibou porte des aigrettes, qui peuvent ressembler à des oreilles. C'est un vigile de fière stature.

avant qu'il ne fût enfant, et Père loup lui apprit sa tâche et le sens de toutes choses dans la jungle, jusqu'à ce que le moindre bruissement de l'herbe, le moindre souffle de l'air tiède de la nuit, la moindre note du chant des hiboux au-dessus de sa tête, le moindre coup de griffe d'une chauve-souris venue se jucher un moment sur un arbre, le moindre clapotis du moindre petit poisson sautant dans une mare eussent autant d'importance pour lui que le travail de son bureau en a pour un homme d'affaires. Quand il n'était pas à ses leçons, il restait assis au soleil et dormait, il mangeait et se rendormait ; lorsqu'il se sentait sale ou qu'il avait trop chaud, il nageait dans les mares de la forêt ; et lorsqu'il voulait du miel (Baloo lui expliqua que le miel et les noix étaient tout aussi agréables à manger que la

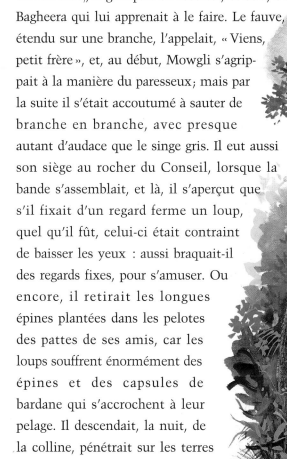

viande crue), il grimpait en récolter, et cela, c'est Bagheera qui lui apprenait à le faire. Le fauve, étendu sur une branche, l'appelait, « Viens, petit frère », et, au début, Mowgli s'agrippait à la manière du paresseux ; mais par la suite il s'était accoutumé à sauter de branche en branche, avec presque autant d'audace que le singe gris. Il eut aussi son siège au rocher du Conseil, lorsque la bande s'assemblait, et là, il s'aperçut que s'il fixait d'un regard ferme un loup, quel qu'il fût, celui-ci était contraint de baisser les yeux : aussi braquait-il des regards fixes, pour s'amuser. Ou encore, il retirait les longues épines plantées dans les pelotes des pattes de ses amis, car les loups souffrent énormément des épines et des capsules de bardane qui s'accrochent à leur pelage. Il descendait, la nuit, de la colline, pénétrait sur les terres cultivées et regardait avec beaucoup

> ❝ … lorsqu'il voulait du miel (Baloo lui expliqua que le miel et les noix étaient tout aussi agréables à manger que la viande crue), il grimpait en récolter… ❞

❝ … il s'était accoutumé à sauter de branche en branche, avec presque autant d'audace que le singe gris. **❞**

de curiosité les villageois dans leurs cabanes; mais il se méfiait des hommes, parce que la panthère lui avait montré une boîte carrée pourvue d'une trappe, si astucieusement dissimulée dans la jungle qu'il avait failli y mettre le pied, et qu'elle lui avait dit que c'était un piège. Il aimait par-dessus tout suivre Bagheera au cœur sombre et tiède de la forêt, dormir toute la torpide journée et, la nuit, voir comment Bagheera s'y prenait pour tuer. Bagheera tuait sans

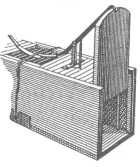

retenue, selon sa faim, et Mowgli aussi, à une exception près. Dès qu'il eut atteint l'âge de comprendre, Bagheera lui dit qu'il ne devait jamais toucher au bétail, parce que son admission dans la bande avait été acquise au prix de la vie d'un taureau. «La jungle entière est à toi, avait dit Bagheera, et tu peux tuer tout ce que tu as la force de tuer; mais, pour l'amour du taureau qui t'a racheté, tu ne dois jamais tuer ni manger aucune espèce de bétail, jeune ou vieux. Telle est la loi de la jungle.» Mowgli obéissait scrupuleusement.

Ci-dessus, un des nombreux pièges à loups.

Et il devint de plus en plus fort, comme ne peut manquer de le devenir un petit garçon qui ne se doute pas qu'il est en train d'apprendre des leçons et dont la seule préoccupation au monde est d'avoir quelque chose à manger.

Mère louve lui avait dit une fois ou deux que Shere Khan n'était pas de ceux à qui on peut se fier et qu'un jour où l'autre il lui faudrait tuer Shere Khan; mais bien qu'un jeune loup se fût souvenu à tout instant de ce conseil, Mowgli l'oublia parce qu'il n'était qu'un petit garçon, encore qu'il se fût donné le nom de loup s'il avait pu parler aucune langue humaine.

En très grand format, ce système de ratière a permis de capturer bien des panthères. Grâce à l'attache d'une proie vivante à l'intérieur, le poids du prédateur entraîne la chute de la trappe dès son passage. Le voilà aussitôt emprisonné.

Shere Khan se mettait toujours en travers de son chemin dans la jungle, car, à mesure qu'Akela se faisait plus vieux et plus faible, le tigre boiteux s'était lié de grande amitié avec les plus jeunes des loups de la bande, qui le suivaient pour avoir ses restes, chose qu'Akela n'eût jamais permise s'il avait osé donner à son autorité toute son étendue légitime. Et puis Shere Khan les flattait et s'étonnait de voir de

jeunes chasseurs aussi fins se laisser mener par un loup moribond et par un petit d'homme. «On me raconte, disait Shere Khan, qu'au conseil vous n'osez pas le regarder entre les yeux»; et les jeunes loups grondaient et se hérissaient.

Prise entre 1864 et 1870, cette vue est un exemple de photographie de paysage à l'époque victorienne. Elle figure les abords de Delwara, ville du Rajasthan, au nord d'Udaipur (Kipling écrit Oodeypore).

Bagheera, qui avait des yeux et des oreilles partout, avait eu vent de cela et, à une ou deux reprises, déclara sans ambages à Mowgli que Shere Khan finirait par le tuer; à quoi Mowgli répondit en riant : «J'ai la bande et je t'ai avec moi; et Baloo, si paresseux qu'il soit, pourrait bien donner un coup ou deux pour moi. Pourquoi aurais-je peur?»

Ce fut un jour de forte chaleur que vint à Bagheera une nouvelle idée, née de quelque rumeur entendue. C'était peut-être Ikki, le porc-épic, qui la lui avait transmise; toujours est-il que la panthère dit à Mowgli, après qu'ils se furent enfoncés dans la jungle, alors que l'enfant, étendu, reposait, la tête sur la belle fourrure noire :

«Petit frère, combien de fois t'ai-je dit que Shere Khan est ton ennemi?

– Autant de fois qu'il y a de noix à cette palme, dit Mowgli, qui, naturellement, ne savait pas compter. Et après? J'ai sommeil, Bagheera, et Shere Khan, ce n'est qu'une longue queue et une voix braillarde, comme Mao le paon.

– Mais ce n'est pas le moment de dormir. Baloo le sait; je le sais; la bande le sait; et même les daims, ces gros, gros nigauds, le savent. Tabaqui te l'a dit aussi.

– Oh! Oh! fit Mowgli. Tabaqui est venu me tenir, il n'y a pas longtemps, des propos grossiers, me dire que j'étais un petit d'homme tout nu et que je n'étais pas bon à déterrer des arachides; mais j'ai pris Tabaqui par la queue et l'ai balancé par deux fois contre un palmier pour lui apprendre à être un peu plus poli.

– Tu as fait une sottise; car Tabaqui a beau être un semeur de trouble, il t'aurait dit quelque chose qui te touche de très près. Ouvre les yeux, petit frère. Shere

66 ... j'ai pris Tabaqui par la queue et l'ai balancé par deux fois contre un palmier pour lui apprendre à être un peu plus poli... **99**

Khan n'ose pas te tuer dans la jungle; mais rappelle-toi, Akela est très vieux; le jour viendra vite où il ne pourra plus tuer son antilope, et alors il ne sera plus le chef. Beaucoup parmi les loups qui t'ont examiné la première fois qu'on t'a présenté au conseil sont vieux aussi, et les jeunes croient, comme Shere Khan le leur a inculqué, qu'un petit d'homme n'a pas sa place dans la bande. D'ici peu tu seras un homme.

Le lac d'Eklingji, dans le Rajasthan, près d'Udaipur, est une ancienne capitale aux superbes palais, surnommée «cité des rêves» et «Venise orientale». D'Udaipur à Seoni (Seeonee), théâtre des aventures de Mowgli, en Inde centrale, Bagheera a parcouru quelque six cents kilomètres!

– Et qu'est-ce donc qu'un homme, pour qu'il n'ait pas le droit de courir avec ses frères? dit Mowgli. Je suis né dans la jungle; j'ai obéi à la loi de la jungle; et de tous nos loups, il n'y en a pas un à qui je n'aie retiré une épine des pattes. Voyons, ne sont-ils pas mes frères? »

Bagheera s'étira de tout son long et ferma les yeux à demi.

« Petit frère, dit le fauve, tâte-moi sous la mâchoire. »

Mowgli leva sa vigoureuse main brune et, juste au-dessous du menton soyeux de Bagheera, là où l'ondulation des gigantesques muscles disparaissait entièrement sous le poil lustré, il rencontra une petite zone pelée.

« Je suis seul dans la jungle à savoir que moi, Bagheera, je porte cette marque : la marque du collier; et pourtant, petit frère, je suis né chez les hommes, et c'est chez les hommes que ma mère est morte, dans les cages du palais royal d'Oodeypore. C'est pour cela que j'ai payé le prix de ton rachat au conseil quand tu étais un tout petit tout nu. Oui, je suis né moi aussi chez les hommes. Je n'avais jamais vu la jungle. On me donnait à travers les barreaux de la nourriture dans une marmite de fer, mais une nuit j'ai fini par sentir que j'étais Bagheera, la panthère, qui n'est le jouet d'aucun homme, et, brisant l'absurde serrure d'un coup de patte, je me suis enfui; et parce que j'avais appris les habitudes des hommes, je suis devenu plus redoutable dans la jungle que Shere Khan. N'est-ce pas?

Les princes indiens adoptaient des panthères pour leur plaisir. Le fauve,

transporté de la ménagerie royale à l'aire de chasse, est véhiculé sur une charrette à attelage bovin.

25

Cette villageoise indienne porte le sari, vêtement traditionnel des femmes (ci-dessus). C'est une longue pièce d'étoffe dont les femmes s'enveloppent la taille et qu'elles drapent sur l'épaule en un mouvement grâcieux qui ne les empêche pas de vaquer à leurs occupations quotidiennes.

– Oui, dit Mowgli; toute la jungle a peur de Bagheera, toute la jungle sauf Mowgli.

– Oh, toi, tu es un petit d'homme, dit la panthère noire, avec beaucoup de tendresse. Et de même que j'ai regagné ma jungle, de même tu finiras inévitablement par retourner chez les hommes, chez les hommes, tes frères… si l'on ne te tue pas au conseil.

– Mais pourquoi, pourquoi quelqu'un désirerait-il me tuer? dit Mowgli.

– Regarde-moi », dit Bagheera. Et Mowgli darda un regard fixe entre ses yeux. Le grand fauve détourna la tête au bout d'une demi-minute. « La voici, la raison, dit-il en déplaçant sa patte sur les feuilles. Même moi, je ne peux te regarder entre les yeux, et je suis né chez les hommes et je t'aime, petit frère. Les autres, ils te détestent parce que leur regard ne peut soutenir le tien; parce que tu es sagace; parce que tu as enlevé des épines de leurs pieds… parce que tu es un homme.

– Je ne savais pas cela, dit Mowgli d'un ton maussade; et ses yeux se rembrunirent sous ses gros sourcils noirs.

– Quelle est la loi de la jungle? Frappe d'abord et donne ensuite de la voix. À ton insouciance même ils savent que tu es un homme. Exerce donc ta sagacité. Mon cœur me dit que sitôt qu'Akela manquera sa proie – et chaque fois qu'il chasse il lui en coûte davantage de clouer au sol son antilope – la bande se retournera contre

lui et contre toi. On tiendra un conseil de jungle au pied du Rocher et alors... et alors... Ça y est, j'y suis! dit Bagheera en se levant d'un bond. Descends jusqu'aux cabanes des hommes dans la vallée et prends de cette fleur rouge qu'ils y cultivent afin que, le moment venu, tu aies un ami encore plus fort que moi ou que Baloo ou que ceux de la bande qui t'aiment. Empare-toi de la fleur rouge. »

Par fleur rouge Bagheera voulait dire du feu, seulement aucune créature de la jungle n'appelle jamais le feu par son nom véritable. Les bêtes en ont toutes une peur mortelle et inventent mille manières de le décrire.

« La fleur rouge? dit Mowgli. Cela pousse devant leurs cabanes au crépuscule. J'en prendrai.

– C'est bien le petit d'homme qui parle, dit Bagheera avec fierté. Rappelle-toi qu'elle pousse dans de petits pots. Prends-en un promptement et garde-le avec toi jusqu'au moment où tu en auras besoin.

– Bien! dit Mowgli. Il faut que j'y aille. Mais es-tu sûr, ô Bagheera de mon cœur (il glissa un bras autour du cou magnifique et plongea le regard au fond des grands yeux), es-tu sûr que tout cela est l'ouvrage de Shere Khan?

– Par la serrure brisée qui m'a donné la liberté, j'en suis sûr, petit frère.

– Alors, par le taureau qui m'a acheté, je revaudrai tout cela à Shere Khan et peut-être un peu plus », dit Mowgli. Et il s'en fut d'un bond.

« Voilà bien un homme. Un homme, en tout point, pensa Bagheera en se recouchant. Oh, Shere Khan, jamais chasse ne fut plus funeste que ta chasse à la grenouille il y a dix ans! »

Mowgli s'éloignait à travers la forêt, courant fort, et son cœur s'échauffait dans sa poitrine. Il parvint à la caverne au moment où montait la brume du soir, reprit souffle et regarda la vallée. Les louveteaux étaient sortis, mais Mère louve, au fond de la caverne, comprit à sa respiration que quelque chose préoccupait sa grenouille.

« Qu'y a-t-il, mon fils? dit-elle.

– Des potins de chauve-souris à propos de Shere Khan, répliqua-

Aujourd'hui encore, la majorité de la population de l'Inde reste paysanne (ci-dessus, un villageois), malgré la croissance des villes et l'essor de l'industrie.

t-il. Je vais chasser dans les labours ce soir. »

Et il plongea dans les broussailles pour atteindre le cours d'eau, au fond de la vallée. Là il fit halte, car il entendit la clameur de la bande en train de chasser, puis entendit le beuglement d'un sambar traqué, suivi de l'ébrouement de la bête aux abois. Il y eut ensuite les hurlements mauvais, acerbes, des jeunes loups :

« Akela ! Akela ! Que le loup solitaire montre sa force. Place au chef de la bande ! Saute, Akela ! »

Le loup solitaire dut sauter et manquer sa prise, car Mowgli entendit le claquement sec de ses dents, puis un glapissement lorsque le sambar le renversa d'un coup de pied de devant.

Il n'en attendit pas davantage, mais reprit sa course ; et les clameurs faiblirent derrière lui quand il pénétra sur les terres arables où vivaient les villageois.

« Bagheera a dit vrai, fit-il, hors d'haleine, tout en se nichant dans un tas de fourrage, près de la fenêtre d'une cabane. Demain sera le grand jour pour Akela comme pour moi. »

Puis il colla le visage à la fenêtre et regarda le feu dans l'âtre. Il vit la femme du paysan se lever et le nourrir pendant la nuit avec des morceaux d'une chose noire ;

et quand vint le matin et que les brumes furent toutes froides et blanches, il vit l'enfant de l'homme prendre un pot en osier enduit de terre à l'intérieur, le remplir de morceaux de charbon de bois chauffés au rouge, le mettre sous sa couverture et sortir pour soigner les vaches dans l'étable.

« C'est tout ? dit Mowgli. Si un petit peut le faire, il n'y a rien à craindre. »

Il tourna donc le coin de la cabane d'un pas décidé, rencontra le petit garçon, lui arracha le pot de la main et disparut dans la brume pendant que l'autre hurlait de peur.

« Ils me ressemblent beaucoup, dit Mowgli en soufflant dans le pot, comme il avait vu faire la femme. Cette chose va mourir si je ne lui donne rien à manger. Et il mit des brindilles et de l'écorce sèche sur la substance rouge. À mi-côte il rencontra Bagheera, dont le pelage était couvert de rosée du matin, brillante comme des pierres de lune.

« Akela a manqué sa proie, dit la panthère. Les autres l'auraient tué hier soir, mais ils te voulaient aussi. Ils t'ont cherché sur la colline.

– J'étais sur les terres labourées. Je suis prêt. Regarde ! »

Mowgli exhiba le pot à feu.

« Bon ! Maintenant, j'ai vu les hommes enfoncer une branche sèche dans cette substance et aussitôt la fleur rouge s'épanouissait à l'extrémité. N'as-tu pas peur ?

Le plus grand cerf du Sud-Est asiatique, le sambar, supporte la comparaison avec le cerf wapiti américain et le cerf élaphe d'Europe. On le reconnaît à ses bois dont les extrémités sont particulièrement écartées. Ses ramures spectaculaires dépassent nettement un mètre au moment de leur plus fort développement.

❝ Il parvint
à la caverne
au moment
où montait
la brume du soir,
reprit son souffle
et regarda la vallée. ❞

29

« – Non. Pourquoi aurais-je peur ? Je me rappelle maintenant (si ce n'est pas un rêve) qu'avant d'être loup j'étais étendu auprès de la fleur rouge et que c'était chaud et agréable. »

Toute cette journée, Mowgli la passa assis dans la caverne à s'occuper de son pot à feu, où il plongeait des branches sèches pour voir l'aspect qu'elles prendraient. Il trouva une branche qui lui convenait et le soir, lorsque Tabaqui vint à la caverne lui dire assez impoliment qu'on le réclamait au rocher du Conseil, il se mit à rire, si bien que Tabaqui finit par s'enfuir. Alors Mowgli s'en fut au conseil, toujours pris de rire.

Akela, le loup solitaire, était couché à côté de son rocher pour signifier que sa place à la tête de la bande était vacante et Shere Khan, avec son escorte de loups mangeurs de restes, allait et venait ostensiblement sous les flatteries. Bagheera était étendu tout près de Mowgli, qui avait le pot à feu entre les genoux. Quand l'assemblée fut au complet, Shere Khan prit la parole, chose qu'il n'aurait jamais osé faire lorsque Akela était dans la force de l'âge.

« Il n'a pas le droit, murmura Bagheera. Dis-le. C'est un fils de chien. Il aura peur. »

Mowgli bondit sur ses pieds.

« Peuple libre, s'écria-t-il, est-ce Shere Khan qui est à la tête de la bande ? Qu'est-ce qu'un tigre a à voir dans notre gouvernement ?

– Vu que ce gouvernement reste vacant et qu'on m'a prié de prendre la parole… commença Shere Khan.

– Qui t'en a prié ? dit Mowgli. Sommes-nous tous, tous des chacals pour aduler ainsi ce massacreur de bétail ? Le gouvernement de la bande n'appartient qu'à elle seule. »

On entendit crier « Tais-toi, le petit d'homme ! » « Laissez-le parler. Il a respecté notre loi. » Mais enfin les anciens tonnèrent « Laissez parler le loup mort ! ». Quand un chef de la bande a manqué sa proie, on l'appelle loup mort

Ces morceaux de bois trouvés dans le Rajasthan servent à faire pousser la « fleur rouge », le feu dont les bêtes « ont une peur mortelle ».

Les enfants font tourner très rapidement une baguette dans l'encoche d'un bâtonnet ; le frottement porte à l'incandescence la poussière de bois qui se dégage. Ainsi naît le feu. Les villageois de « Tigre ! Tigre ! » ont évidemment dépassé ce stade.

pour le temps qu'il lui reste à vivre, temps très court, en général.

Akela leva sa vieille tête avec lassitude.

« Peuple libre et vous aussi, chacals de Shere Khan, douze saisons durant je vous ai conduits à la poursuite du gibier et vous ai ramenés sans qu'aucun d'entre vous, pendant tout ce temps, ait été pris au piège ou estropié. Mais voici que j'ai manqué ma proie. Vous savez comment a été montée cette manœuvre. Vous savez que vous m'avez lancé sur une antilope qui n'avait pas été forcée, pour montrer ma faiblesse. Ce fut habilement fait. Vous avez le droit de me tuer ici même, au rocher du Conseil, et immédiatement. C'est pourquoi je demande : qui va mettre fin à la vie du loup solitaire ? Car c'est mon droit, en vertu de la loi de la jungle, de vous faire venir un par un. »

Ce masque de loup, gueule entr'ouverte, laisse apparaître les canines, dont le nom a été repris pour désigner dans la mâchoire humaine les dents les plus proéminentes.

Il y eut un long silence, car aucun loup ne tenait à se battre seul à mort contre Akela. Puis Shere Khan poussa un rugissement :

« Bah ! qu'avons-nous à voir avec ce niais édenté ? Il est voué à la mort ! C'est le petit d'homme qui a vécu trop longtemps. Peuple libre, sa chair est à moi depuis le premier jour. Donnez-le-moi. Je suis las de cette stupide histoire d'homme-loup. Cela fait dix saisons qu'il perturbe la jungle. Donnez-moi le petit d'homme, sinon je chasserai toujours par ici et ne vous donnerai pas un seul os. C'est un homme, un enfant d'homme et, du tréfonds de mon être, je le hais ! »

Alors plus de la moitié de la bande vociféra :

« Un homme ! Un homme ! Qu'est-ce qu'un homme a à voir avec nous ? Qu'il s'en aille chez lui.

– Pour dresser tous les habitants des villages contre nous ! s'exclama Shere Khan. Non ; donnez-le-moi. C'est un homme et nul d'entre nous ne peut le regarder entre les deux yeux. »

Akela releva de nouveau la tête et dit :

« Il a partagé notre nourriture. Il a dormi avec nous. Il a rabattu le

La représentation de pareilles scènes d'attaque a forgé la terrible réputation du tigre.

Suivant les propres mots de Kipling, «Garder les troupeaux en Inde est une des occupations les moins fatigantes du monde.»

La panthère est capable de s'attaquer à des bêtes plus corpulentes qu'elle-même. Après un bond puissant, elle saisit le cou de sa proie dans le but de l'égorger. Contre l'homme, la panthère adopte davantage un comportement défensif, sauf cas d'exception.

gibier pour nous. Il n'a pas enfreint un seul mot de la loi de la jungle.

– En outre, je l'ai payé d'un taureau lors de son admission. Un taureau a peu de valeur, mais son honneur est une chose pour laquelle Bagheera se battra peut-être, dit Bagheera de sa voix la plus douce.

– Un taureau payé il y a dix ans! gronda la bande. Que nous importent des os vieux de dix ans?

– Ou la parole donnée? dit Bagheera en relevant la lèvre sur ses dents blanches. Ah! vous méritez joliment le nom de peuple libre!

– Nul petit d'homme ne peut courir avec le peuple de la jungle, hurla Shere Khan. Donnez-le-moi!

– C'est notre frère en tout, sauf par le sang, poursuivit Akela, et vous voudriez le tuer ici même! En vérité, j'ai vécu trop longtemps. Certains d'entre vous sont mangeurs de bétail et d'autres, à ce qu'on m'a dit, suivant les leçons de Shere Khan, vont à la nuit noire enlever des enfants sur le pas de la porte des villageois. Je vous sais donc lâches et c'est à des lâches que je parle. Il est certain que je dois mourir et ma vie ne vaut plus rien, sinon je vous l'offrirais bien en échange du petit d'homme. Mais pour l'honneur de la bande (petit détail que, privés de chef, vous avez oublié) je promets que si vous laissez le petit d'homme s'en retourner chez lui, je m'abstiendrai, quand le temps sera venu pour moi de mourir, de découvrir une seule de mes dents contre vous. Je mourrai sans me battre. Cela du moins épargnera trois vies à la bande. Je ne puis en faire davantage; mais si vous le voulez, je peux vous épargner la honte de tuer un frère auquel on ne peut rien reprocher, un frère pour lequel on a répondu et dont on a payé l'admission dans la bande, selon la loi de la jungle.

– C'est un homme, un homme, un homme!», gronda la bande.

Et la plupart des loups commencèrent à se grouper autour de Shere Khan, dont la queue se mettait à fouetter l'air.

« Maintenant l'affaire est en tes mains, dit Bagheera à Mowgli. Nous autres ne pouvons plus rien, hormis nous battre. »

Mowgli se dressa tout droit sur ses jambes, le pot à feu dans les mains. Puis il étira les bras et bâilla à la face du conseil ; mais il était fou de rage et de chagrin car, en loups qu'ils étaient, les loups ne lui avaient jamais dit combien ils le haïssaient.

« Écoutez, vous autres ! s'écria-t-il. Il est inutile de se livrer à ces papotages de chien. Vous m'avez tellement répété ce soir que je suis un homme (et en vérité j'aurais voulu être loup parmi vous jusqu'à la fin de mes jours) que vos paroles me paraissent vraies. Aussi ne vous appellerai-je plus frères, mais *sag*, comme doit le faire un homme. Ce que vous ferez et ce que vous ne ferez pas, ce n'est pas à vous de le dire. C'est mon affaire à moi ; et pour que cette affaire soit bien claire entre nous, j'ai apporté, moi, l'homme, un peu de la fleur rouge dont vous autres chiens avez peur. »

Mowgli jeta le pot à terre et quelques-uns des charbons ardents mirent le feu à une touffe de mousse desséchée qui s'embrasa, tandis que le conseil entier recula de terreur devant les flammes bondissantes.

Kipling était sensible à la proximité qu'il put observer entre les hommes et les animaux, à la campagne comme dans les villes indiennes.

Mowgli plongea sa branche morte dans le feu et, lorsque les brindilles allumées se mirent à grésiller, il la fit tournoyer au-dessus de sa tête au milieu des loups, qui se faisaient tout petits.

« Tu es le maître, dit Bagheera à mi-voix. Sauve Akela de la mort. Il a toujours été ton ami. »

Akela, le vieux loup inflexible qui n'avait jamais demandé grâce de sa vie, lança un seul regard apitoyant au jeune garçon, debout et entièrement nu, sa longue chevelure noire flottant sur ses épaules dans la lumière de la branche enflammée qui faisait tressauter et trembler les ombres.

« Bon ! dit Mowgli, promenant alentour un regard assuré. Je vois que vous êtes des chiens. Je vous quitte pour aller chez les miens, si ce sont vraiment les miens. La jungle m'est fermée et il me faut oublier votre parler et votre compagnie ; mais je serai plus

miséricordieux que vous ne l'êtes. Parce que j'ai presque été votre frère en tout, hormis le sang, je vous promets que lorsque je serai un homme parmi les hommes je ne vous trahirai pas auprès d'eux comme vous m'avez trahi. » Il donna un coup de pied dans le feu et les flammèches volèrent. « Il n'y aura jamais de guerre entre aucun d'entre nous et la bande. Mais il y a une dette à payer avant mon départ. » Il s'avança à grands pas jusqu'à Shere Khan, qui, assis, clignait des yeux stupidement devant les flammes, et il le prit par la touffe de poils de son menton. Bagheera suivait au cas où un malheur surviendrait. « Debout chien! s'écria Mowgli. Debout quand un homme parle ou je fais flamber ton pelage! » Les oreilles de Shere Khan s'aplatirent sur sa tête et il ferma les yeux, car la branche enflammée était toute proche. « Ce tueur de bétail a dit qu'il me tuerait en plein conseil faute de m'avoir tué quand j'étais petit. Eh bien, voilà comment on bat les chiens quand on est homme. Remue un poil de ta moustache, Lungri, et je t'enfonce la fleur rouge dans le gosier! » Il donna à Shere Khan un coup de branche sur la tête et le tigre, au paroxysme de la peur, poussa des cris plaintifs et des gémissements. « Pouah! Chat de jungle roussi, va-t'en maintenant ! Mais rappelle-toi que la prochaine fois que je viendrai au rocher du Conseil, comme il sied qu'y vienne un homme, ce sera la tête coiffée de la peau de Shere Khan. Au demeurant Akela est libre de vivre comme il lui plaît. Non, vous ne le tuerez pas, parce que telle est ma volonté. Et je pense en outre que vous n'allez pas rester ici plus longtemps, la langue pendante comme si vous étiez des personnages au lieu d'être des chiens que je chasse… comme ça ! Allez ! »

Le feu brûlait furieusement à l'extrémité de la branche ; Mowgli parcourut le cercle en frappant à droite et à gauche et les loups s'enfuirent en hurlant, la fourrure brûlée par les flammèches. À la fin il ne resta plus qu'Akela, Bagheera, et peut-être une dizaine de loups qui avaient pris le parti de Mowgli. Alors quelque chose en Mowgli se mit à lui faire mal, comme il n'avait jamais encore eu mal de sa vie, la respiration lui manqua, il sanglota et les larmes ruisselèrent sur son visage.

« Qu'est-ce que c'est ? Qu'est-ce que c'est ? dit-il. Je n'ai pas envie de quitter la jungle et je ne sais pas ce que j'ai. Vais-je mourir, Bagheera ?

– Non, petit frère. Ce ne sont là que des larmes comme en usent les hommes, dit Bagheera. Maintenant je sais que tu es un homme et non plus un petit d'homme. La jungle t'est bel et bien fermée désormais. Laisse-les couler, Mowgli. Ce ne sont que des larmes. » Alors Mowgli s'assit et pleura comme si son cœur allait se briser ; jamais encore il n'avait pleuré de toute sa vie.

« À présent, dit-il, je m'en vais chez les hommes. Mais il faut d'abord que je dise adieu à ma mère. »

Et il se rendit à la caverne où elle vivait avec Père loup et il pleura sur son pelage, tandis que les quatre petits hurlaient lamentablement.

« Vous ne m'oublierez pas ? demanda Mowgli.

– Jamais, aussi longtemps que nous pourrons suivre une piste, répondirent les louveteaux. Viens au pied de la colline quand tu

66 Il donna un coup de pied dans le feu et les flammèches volèrent. 99

66 Les oreilles de Shere Khan s'aplatirent sur sa tête et il ferma les yeux, car la branche enflammée était toute proche. 99

seras un homme et nous te parlerons; et nous viendrons sur les terres cultivées pour jouer avec toi la nuit.

– Viens vite! dit Père loup. Ô petite Grenouille sagace, reviens vite; car nous sommes vieux, ta mère et moi.

– Viens vite, dit Mère louve, petit garçon tout nu de mon cœur; car, je te le dis, enfant d'homme, je t'ai plus aimé que je n'ai jamais aimé mes louveteaux.

– Je viendrai sûrement, dit Mowgli; et quand je viendrai ce sera pour étendre la peau de Shere Khan sur le rocher du Conseil. Ne m'oubliez pas! Dites-leur dans la jungle de ne jamais m'oublier!»

L'aube commençait à poindre quand Mowgli descendit le flanc de la colline, seul, à la rencontre de ces êtres mystérieux qu'on appelle les hommes.

Ce porteur d'eau est une illustration de John Lockwood Kipling, père de Rudyard, pour son livre, *Bêtes et Hommes de l'Inde*, publié en 1891. L'ouvrage fut l'une des sources d'information du *Livre de la Jungle.*

CHANT DE CHASSE DE LA BANDE DE SEEONEE

À la pointe du jour le sambar a bramé
      Une fois, deux fois et encore!
Une biche a bondi, une biche soudain,
De l'étang dans les bois où s'abreuve le daim.
Voilà ce qu'éclaireur j'ai moi seul observé
      Une fois, deux fois et encore!

À la pointe du jour le sambar a bramé
      Une fois, deux fois et encore!
Un loup fait demi-tour, un loup tout doucement
Retourne prévenir la bande qui l'attend;
Nous cherchons, nous trouvons, sur sa piste criant,
      Une fois, deux fois et encore!

À la pointe du jour la bande a hurlé
      Une fois, deux fois et encore!
Pieds qui dans la forêt sans empreinte passez!
Yeux ouverts dans la nuit, qui la nuit transpercez!
Voix! Donnez de la voix! Écoutez! Écoutez!
      Une fois, deux fois et encore!

LA CHASSE DE KAA

Les taches du léopard sont sa joie et les cornes du buffle son honneur.

Sois propre, car au brillant du pelage on connaît la force du chasseur.

Si tu vois que le bœuf peut te lancer en l'air, que les cornes au front lourd du sambar peuvent te déchirer,

Inutile d'abandonner ta tâche pour venir nous le dire : nous l'avons appris et, depuis, avons vu dix saisons s'écouler.

Tu n'opprimeras pas le petit de l'étranger,
 mais tu l'appelleras sœur ou frère,

Car s'il est bas et courtaud, peut-être que l'ourse est sa mère.

« Je n'ai pas mon pareil ! » dit le petit, plein de fierté
d'avoir tué sa première proie ;

Mais la jungle est vaste, et lui, bien petit.

Qu'il médite et qu'il se tienne coi.

Maximes de Baloo

L'apprivoisement n'a pas été épargné à cet ancien ours de jungle, puisque, en son jeune temps, l'homme l'a capturé dans son habitat. Pour le reste de son existence, le voici dressé, exhibé en bête de spectacle.

Mammifères volants des tropiques, dessinant arabesques de nuit, les grandes roussettes n'aiment guère que les fruits. Contrairement à d'autres chauves-souris purement insectivores. En Amérique tropicale, on appelle Vampires les chauves-souris qui sucent le sang des mammifères pendant leur sommeil.

L'ours lippu, nonchalant flâneur, déguste des termites en toute tranquillité. Sa langue développée et la forme particulière de ses lèvres en cornet lui permettent de piller les termitières.

Tout ce que nous relatons ici arriva quelque temps avant que Mowgli ne fût exclu de la bande des loups de Seeonee et ne se fût vengé de Shere Khan le tigre. C'était à l'époque où Baloo lui enseignait la loi de la jungle. Le vieil ours brun, gros et grave, était ravi d'avoir un élève si vif, car les jeunes loups n'apprennent jamais de la loi de la jungle que ce qui s'applique à leur bande et tribu, et se sauvent sitôt qu'ils peuvent répéter *Le Verset du chasseur* : «Pieds qui ne font bruit; yeux qui voient dans le noir; oreilles qui entendent les vents du fond de leurs tanières et dents blanches acérées : qui porte tous ces signes est de nos frères, sauf Tabaqui le chacal et l'hyène que nous haïssons.»

Mais Mowgli, en tant que petit d'homme, avait beaucoup plus à apprendre. Parfois Bagheera la panthère noire venait de son pas nonchalant à travers la jungle pour voir les progrès de son petit favori et, la tête contre un arbre, ronronnait tandis que Mowgli récitait à Baloo la leçon du jour. L'enfant savait grimper presque aussi bien qu'il savait nager, et nager presque aussi bien qu'il savait courir; aussi Baloo, le docteur de la loi, lui apprenait-il les lois des bois et des eaux : à distinguer une branche pourrie d'une branche saine; à s'adresser poliment aux abeilles sauvages quand il tombait sur un de leurs essaims à cinquante pieds au-dessus du sol; ce qu'il fallait dire à Mang la chauve-souris lorsqu'il la dérangeait dans les branchages à midi; et la façon d'avertir les serpents d'eau dans les mares avant de plonger bruyamment parmi eux. Personne, dans la jungle, n'aime à être dérangé et chacun est tout prêt à se jeter sur l'intrus. Donc Mowgli apprit aussi le cri de chasse de l'étranger, qu'un citoyen de la jungle répète à voix haute jusqu'à ce qu'il reçoive une réponse, chaque fois qu'il chasse en dehors de son territoire. Traduit, il signifie : «Donnez-moi la permission de chasser ici car j'ai faim»; et la réponse est : «Chasse donc pour manger, mais non point par plaisir.»

Cela vous donnera une idée de tout ce que Mowgli devait apprendre par cœur; et il se lassait beaucoup de répéter cent fois la même chose. Mais comme le dit Baloo à Bagheera, un jour que Mowgli avait reçu une taloche et s'était enfui furieux : «Un petit d'homme est un petit d'homme et il doit apprendre toute, je dis bien toute, la loi de la jungle.

– Mais vois comme il est menu, dit la panthère noire, qui aurait gâté Mowgli si elle avait pu agir à sa guise. Comment peut-il mettre dans sa petite tête tous tes longs discours?

– Y a-t-il dans la jungle un seul être trop petit pour se faire tuer? Non. C'est pourquoi je lui apprends tout cela et c'est pourquoi je le frappe, très doucement, lorsqu'il oublie.

– Doucement? Sais-tu seulement ce qu'est la douceur, vieux Pied-de-Fer? grommela Bagheera. Tu lui as couvert tout le visage de bleus aujourd'hui, avec ta… douceur. Beuh!

– Mieux vaut pour lui d'être couvert de bleus de la tête aux pieds par moi qui l'aime que de s'attirer un malheur par son ignorance, répondit Baloo d'un ton très convaincu. Je suis en train de lui apprendre les maîtres mots de la jungle qui doivent le protéger auprès des oiseaux, du peuple serpent et de tout ce qui chasse à quatre pattes, à l'exception de sa propre bande. Il peut maintenant, pourvu qu'il veuille bien se souvenir des mots, réclamer la protection de tous les habitants de la jungle. Cela ne vaut-il pas une petite correction?

– Peut-être, mais prends garde à ne pas tuer le petit d'homme. Ce n'est pas un tronc d'arbre où te faire tes griffes émoussées. Mais quels sont ces maîtres mots? Je suis plus susceptible de donner de l'aide que d'en demander (et Bagheera étira une patte de devant en admirant les griffes bleu acier, tranchantes comme un ciseau, à son extrémité). Pourtant, j'aimerais savoir.

– Je vais appeler Mowgli pour qu'il les récite… s'il en a envie. Viens, petit frère!

La position que l'animal épouse ci-dessus illustre parfaitement le plaisir qu'il prend à faire le guet ou à se reposer, les pattes pendantes, couché sur une branche. Sa sveltesse et son agilité lui permettent de grimper hardiment dans les cimes, comme un chat. La panthère a aussi la force de hisser son gibier dans l'arbre et une détente suffisante pour se saisir d'une proie dans de hautes branches.

Les panthères noires ne sont pas des sujets plus irascibles ni plus dangereux que d'autres specimens ayant un tachetage sur fond clair. Elles seraient plutôt moins agressives.

L'ours lippu est l'espèce ursine la plus pacifique, même si elle est indésirable dans les plantations où l'animal a tendance à fouiller le sol pour dénicher sa nourriture. Les cultivateurs peuvent piéger ou tuer l'ours à l'occasion par mesure de représailles.

– J'ai la tête qui bourdonne comme un arbre à abeilles », dit une petite voix maussade au-dessus de leurs têtes. Et Mowgli se laissa glisser le long d'un tronc d'arbre, indigné, hors de lui, et ajouta, quand il eut touché le sol : « C'est pour Bagheera que je viens, pas pour toi, vieux Baloo bedonnant !

– Cela m'est bien égal, fit Baloo, quoiqu'il fût vexé et peiné. Alors, récite à Bagheera ceux des maîtres mots de la jungle que je t'ai appris aujourd'hui.

– Les maîtres mots de quel peuple ? dit Mowgli, ravi de faire montre de son savoir. La jungle a beaucoup de langues, et moi je les connais toutes.

– Tu en sais un peu, mais pas beaucoup. Tu vois, ô Bagheera, ils ne remercient jamais leur maître. Pas un seul petit louveteau n'est jamais venu remercier le vieux Baloo pour ses leçons. Donne-nous donc la formule du peuple chasseur, grand savant.

– Nous sommes du même sang, vous et moi, dit Mowgli, prononçant ces mots avec l'accent ours, que prend tout le peuple chasseur.

– Bien. Celle des oiseaux à présent. »

Mowgli la récita, sans omettre le sifflet du milan à la fin de la phrase.

« Celle du peuple serpent à présent », dit Bagheera.

La réponse fut un sifflement tout à fait indescriptible, après quoi Mowgli décocha une ruade et battit des mains pour s'applaudir lui-même, puis sauta sur l'échine de Bagheera où il s'assit en amazone, tout en tambourinant des talons sur le pelage luisant et en faisant à Baloo les pires grimaces qu'il pût imaginer.

« À la bonne heure ! Cela valait bien quelques bleus, dit l'ours brun avec tendresse. Un jour tu te souviendras de moi. »

Puis il se détourna pour expliquer à Bagheera qu'il avait prié Hathi l'éléphant sauvage, qui sait tout de ces choses-là, de lui communiquer les maîtres mots, que Hathi avait conduit Mowgli au bord d'une mare pour apprendre d'un serpent d'eau la formule des serpents parce que Baloo ne savait pas la prononcer, et que

Mowgli était maintenant assez bien prémuni contre tous les accidents qui peuvent survenir dans la jungle, car ni serpent, ni oiseau, ni aucune bête à quatre pieds ne lui ferait de mal.

« Il n'a donc plus personne à craindre, conclut Baloo en caressant avec fierté la fourrure de son gros ventre.

– Sauf sa propre tribu », fit Bagheera entre ses dents. Puis, à voix haute, à l'adresse de Mowgli : « Attention à mes côtes, petit frère ! Qu'as-tu à gigoter comme cela ? »

Mowgli essayait de se faire entendre en tirant sur la fourrure des épaules de la panthère et en la bourrant de coups de pied. Lorsque Bagheera et Baloo lui prêtèrent l'oreille, ils entendirent crier à tue-tête :

" Mowgli se laissa glisser le long d'un tronc d'arbre... **"**

« Alors j'aurai une tribu à moi et je la guiderai toute la journée à travers les branches.

– Quelle est cette nouvelle sottise, petit faiseur de rêves ? dit Bagheera.

– Oui, et nous lancerons des branches et de la crotte sur le vieux Baloo, poursuivit Mowgli. Ils me l'ont promis. Ah !

– Et vlan ! »

D'un coup de sa grosse patte, Baloo jeta Mowgli à bas du dos de Bagheera et l'enfant, étendu entre les deux grosses pattes de devant, vit que l'ours était en colère.

« Mowgli, dit Baloo, tu as parlé aux *bandar-log*, le peuple singe. » Mowgli regarda Bagheera pour voir si la panthère aussi était en colère : les yeux de Bagheera étaient durs comme des jades. « Tu as frayé avec le peuple singe... les singes gris... le peuple sans loi, mangeur de tout. C'est une grande honte.

Le singe entelle (ci-dessus) est une bête sacrée en Inde. On le considère comme l'incarnation d'Hanuman, le dieu singe qui guérit. Les entelles, comme les macaques, sont présents partout : dans les villes, dans les campagnes, dans les temples. Il existe en Inde différentes espèces de macaques. La plus connue est le rhésus, également sacré, qui, en raison des particularités de son sang, se voit – pour son malheur – utilisé par la recherche en

laboratoires. Par ailleurs, la conformation de son squelette se rapproche de la nôtre. Dans la jungle, les macaques vivent en bande, dans les arbres qu'ils animent de leurs simiesques chahuts, parfois au voisinage de crocodiliens en attente, de pythons enveloppants ou paons en essor (page de droite).

– Lorsque Baloo m'a meurtri la tête, dit Mowgli (il était toujours sur le dos), je me suis sauvé et les singes gris sont descendus des arbres et m'ont pris en pitié. Personne d'autre ne s'est soucié de moi. » Il renifla quelques larmes.

« La pitié du peuple singe ! grogna Baloo d'un air de mépris. C'est le calme d'un torrent de montagne ! La fraîcheur du soleil d'été ! Et alors, petit d'homme ?

– Et alors… et alors ils m'ont donné des noix et de bonnes choses à manger et… et ils m'ont emporté dans leurs bras jusqu'au sommet des arbres et m'ont dit que j'étais leur frère par le sang, sauf que je n'ai pas de queue, et qu'un jour je serais leur chef.

– Mais ils n'ont pas de chef, dit Bagheera. Ils mentent. Ils ont toujours menti.

– Ils ont été très gentils et m'ont invité à revenir. Pourquoi ne m'a-t-on jamais conduit chez le peuple singe ? Ils se tiennent sur leurs pieds comme moi. Ils ne m'assènent pas de coups de patte. Ils passent toute la journée à jouer. Laisse-moi me lever ! Méchant Baloo, laisse-moi ! Je veux retourner jouer avec eux !

– Écoute, petit d'homme, dit l'ours, et sa voix gronda comme le tonnerre par une nuit de grande chaleur, je t'ai enseigné toute la loi de la jungle pour tous les peuples de la jungle, sauf la gent simienne qui vit dans les arbres. Les singes n'ont pas de loi. Ce sont des parias. Ils n'ont pas de langue à eux, mais se servent des mots dérobés qu'ils entendent par hasard lorsqu'ils nous écoutent et nous épient, là-haut, aux aguets dans les branches. Ils ne font pas comme nous. Ils n'ont pas de chef. Ils ne se souviennent de rien. Ce sont des hâbleurs, des bavards, qui se donnent pour un grand peuple sur le point d'accomplir de grandes choses dans la jungle, mais la chute d'une noix suffit à les distraire en les faisant rire, et tout est oublié. Nous autres de la jungle n'avons jamais affaire à eux. Nous ne buvons pas où boivent les singes ; nous n'allons pas où vont les singes ; nous ne chassons pas où ils chassent ;

nous ne mourons pas où ils meurent. M'as-tu jamais encore entendu parler des *bandar-log*?

– Non, dit Mowgli dans un murmure, car la forêt était très silencieuse, maintenant que Baloo s'était tu.

– Le peuple de la jungle les a bannis de sa bouche et de sa pensée. Ils sont très nombreux, mauvais, malpropres, impudents, et ce qu'ils désirent, si tant est qu'ils aient un désir précis, c'est se faire remarquer du peuple de la jungle. Mais nous refusons de leur prêter attention, même lorsqu'ils nous jettent des noix et des immondices sur la tête. »

À peine avait-il fini de parler qu'une grêle de noix et de brindilles crépita à travers les branches; et des toussotements, des hurlements, des bonds rageurs se firent entendre très haut dans les airs, parmi les branches ténues.

« Le peuple singe est un peuple interdit, dit Baloo, interdit au peuple de la jungle. Souviens-t'en.

– Interdit, répéta Bagheera; mais je pense tout de même que Baloo aurait dû te mettre en garde contre lui.

– Quoi? Je... Comment pouvais-je deviner qu'il jouerait avec pareille ordure. Le peuple singe! Pouah! »

Une nouvelle grêle s'abattit sur leur tête, et l'ours et la panthère partirent au trot, emmenant Mowgli avec eux. Ce que Baloo avait dit des singes était parfaitement vrai. Ils résidaient à la cime des arbres et comme les quadrupèdes lèvent très rarement le regard, nulle occasion ne se présentait, pour les singes et le peuple de la jungle, de se trouver face à face. Mais chaque fois qu'ils découvraient un loup malade, un tigre ou un ours blessé, les singes le harcelaient; et ils jetaient des bouts de bois et des noix à la première bête venue, pour s'amuser et dans l'espoir de se faire remarquer. Et puis ils

braillaient, déchiraient l'air de chants absurdes et invitaient le peuple de la jungle à grimper dans leurs arbres pour se battre contre eux, ou bien ils se livraient entre eux, à propos de rien, de furieuses batailles et laissaient leurs morts exposés à la vue du peuple de la jungle. Ils étaient toujours sur le point de se donner un chef, des lois et des coutumes bien à eux, mais ils ne le faisaient jamais parce que leur mémoire ne retenait rien d'un jour à l'autre. Aussi avaient-ils arrangé les choses en inventant un dicton, « Ce que les *bandar-log* pensent aujourd'hui, la jungle le pensera demain », qui leur était d'un grand réconfort. Aucune bête à quatre pieds ne pouvait les atteindre, mais, en revanche, aucune de ces bêtes ne daignait leur prêter attention, et c'est pourquoi ils avaient été si contents de voir Mowgli venir jouer avec eux et d'apprendre combien Baloo en éprouvait de colère.

Ils n'avaient nullement l'intention d'en faire davantage : les *bandar-log* n'ont jamais aucune intention ; mais l'un d'entre eux conçut ce qui lui parut être une idée lumineuse et dit aux autres que Mowgli serait un élément utile à garder dans la tribu parce qu'il savait faire, avec des bouts de bois entrelacés, des abris contre le vent, et que, s'ils le capturaient, ils pourraient alors le forcer à leur montrer comment s'y prendre. Naturellement Mowgli, en bon fils de bûcheron, avait hérité toutes sortes d'instincts et il se construisait de petites huttes avec des branches tombées des arbres sans se demander pourquoi. Le peuple singe, aux aguets dans les arbres, trouvait ce jeu vraiment extraordinaire. Cette fois, disaient-ils, ils allaient se donner un chef pour de bon et devenir le peuple le plus sage de la jungle, si sage qu'ils s'attireraient l'attention et l'envie de tous les autres. Aussi suivirent-ils Baloo, Bagheera et Mowgli à travers la jungle, sans faire le moindre bruit, jusqu'à ce que l'heure de la sieste fût venue et que Mowgli, qui était tout honteux de lui-même, se fût endormi entre la panthère et l'ours, résolu à ne plus avoir affaire au peuple singe.

La première chose dont il se souvint ensuite, ce fut le contact de mains sur ses jambes et ses bras, de petites mains dures et vigoureuses, suivi d'un cinglon

Les semnopithèques sont des singes typiquement asiatiques. On les appelle aussi langurs, de l'hindoustani *lungoor*, qui signifie « à la longue queue ». Celle-ci permet au singe de garder son équilibre lorsqu'il court de branche en branche ou saute d'un arbre à l'autre. L'animal se sert également de ses bras démesurément longs à la musculation très souple. Les pieds du singe sont préhensiles : ils permettent de saisir les branches avec la même dextérité qu'avec ses mains. L'entelle (ci-dessous) est une espèce de langur, appelée langur-Hanuman.

de rameaux sur le visage; et voilà que maintenant son regard effaré plongeait à travers les branches en mouvement d'un arbre, tandis que Baloo éveillait la jungle de ses cris rauques et que Bagheera bondissait à l'assaut du tronc, tous ses crocs à nu. Les *bandar-log* poussèrent des hurlements de triomphe et gagnèrent les hautes branches, où Bagheera n'osa pas les suivre, tout en criant : « On nous a remarqués! Bagheera nous a remarqués! Le peuple de la jungle tout entier admire notre adresse et notre ruse. » Alors, leur fuite commença; or la fuite du peuple singe à travers le pays des arbres est une chose que nul ne peut décrire. Il y dispose de routes et de chemins de traverse permanents, qui montent et qui descendent, tous tracés entre cinquante et soixante-dix ou cent pieds au-dessus du sol, par où il peut se déplacer même de nuit, au besoin. Deux des singes les plus vigoureux avaient empoigné Mowgli sous les bras et le portaient en voltigeant dans la cime des arbres, par bonds de vingt pieds à la fois. Seuls, ils auraient pu aller deux fois plus vite, mais le

> **❝** Deux des singes les plus vigoureux avaient empoigné Mowgli sous les bras et le portaient en voltigeant dans la cime des arbres, par bonds de vingt pieds à la fois. **❞**

poids de l'enfant les retardait. Mowgli avait beau souffrir de haut-le-cœur et de vertige, il ne pouvait s'empêcher de goûter cette course effrénée, malgré la peur qu'il éprouvait à la vue fugitive du sol, très loin au-dessous de lui, et les serrements de gorge que lui causaient les saccades et les à-coups terribles par lesquels s'achevait chaque trajectoire au-dessus de ce qui n'était que le vide. Son escorte l'entraînait à toute allure vers la cime d'un arbre, jusqu'au moment où il sentait craquer et ployer sous eux les rameaux les plus hauts et les plus grêles ; alors, avec un toussotement suivi d'un long « Houp ! » ils s'élançaient dans les airs, aussi loin que possible, retombaient, et se rattrapaient aux branches basses de l'arbre voisin. Parfois Mowgli découvrait à la ronde des milles et des milles de jungle verte et immobile, comme un homme au sommet d'un mât voit la mer s'étendre des milles alentour ; puis les branches et le feuillage lui cinglaient le visage et il se retrouvait, avec ses deux gardiens, presque à toucher le sol. Ainsi, à grand renfort de bonds, de fracas, de cris, de hurlements, la tribu entière des *bandar-log* filait sur les routes des arbres, avec Mowgli, leur prisonnier.

Un moment, celui-ci craignit qu'on ne le laissât tomber ; il fut alors pris de colère, mais évita soigneusement de se débattre et se mit ensuite à réfléchir. Le plus urgent était de faire passer derrière lui un message à Baloo et à Bagheera, car, à l'allure où allaient les singes, il savait que ses amis seraient largement distancés. Il était inutile de regarder en bas, car il ne voyait que le dessus des branches ; il leva donc la tête et aperçut, loin dans l'azur, Rann le milan qui planait et faisait la ronde au-dessus de la jungle, attendant la mort de quelque créature. Rann vit que les singes portaient quelque chose et piqua de plusieurs centaines de pieds pour voir si leur fardeau était bon à manger. Il siffla de surprise lorsqu'il vit hisser Mowgli à la cime d'un arbre et qu'il entendit lancer l'appel qui, pour un milan, signifie « Nous sommes du même sang, toi et moi ». Le mou-

La famille « vulturienne » est particulièrement variée, principalement en Inde (ci-dessous, le vautour impérial). Certains individus nichent même sur la corniche de grands hôtels dans les métropoles. Et dans les villages ils n'hésitent pas à fouiller les tas d'immondices afin de dénicher une nourriture à leur convenance.

tonnement des branches se referma sur l'enfant, mais Rann, de son vol plané, se porta au-dessus de l'arbre voisin, à temps pour voir émerger de nouveau le petit visage brun.

« Repère bien ma trace, s'écria Mowgli. Préviens Baloo, de la bande de Seeonee, et Bagheera, qui siège au rocher du Conseil.

– Au nom de qui, frère ? Rann n'avait jamais encore vu Mowgli, bien qu'il eût, naturellement, entendu parler de lui.

– De Mowgli la Grenouille. Ils m'appellent petit d'homme ! Repère bien ma tra-ace ! »

Il cria ces derniers mots tandis qu'on l'emportait dans les airs, mais Rann fit oui de la tête et s'éleva jusqu'à ce qu'il ne parût pas plus gros qu'un grain de poussière ; et alors il resta suspendu, observant du télescope de ses yeux l'oscillation qu'imprimait à la cime des arbres le passage en trombe de l'escorte de Mowgli.

« Ils ne vont jamais loin, fit-il avec un petit rire. Ils ne font jamais ce qu'ils projettent de faire. Toujours à picorer quelque chose de nouveau : voilà les *bandar-log*. Mais cette fois, si j'y vois le moins du monde, ils ont mis le bec dans les ennuis, car Baloo n'est pas un oisillon et Bagheera peut, je le sais, tuer plus que des chèvres. »

Serviteur de la voirie, repérant de très haut et de très loin les cadavres d'animaux, le peuple vautour se manifeste en toute occasion. Il est omniprésent en Inde au même titre que le peuple singe. Dans *Le Livre de la jungle*, Rann est, à la vérité, un milan, rapace charognard qui repère les feux de broussaille, à la recherche d'insectes et de petits animaux morts.

Ainsi, tout en se berçant sur ses ailes, les pattes repliées sous le corps, il attendait.

Pendant ce temps Baloo et Bagheera étaient fous de rage et de chagrin. Bagheera grimpait comme jamais de sa vie auparavant, mais les fines branches se brisaient sous son poids et la panthère retombait en glissant, les griffes pleines d'écorce.

« Pourquoi n'as-tu pas mis le petit d'homme en garde ? rugissait-elle aux oreilles du pauvre Baloo, qui était parti d'un trot malhabile dans l'espoir de rattraper les singes. À quoi bon l'avoir à moitié tué de tes coups si tu ne l'as pas mis en garde ?

– Vite ! vite ! Nous avons encore une chance de les rattraper ! disait Baloo hors d'haleine.

– À cette allure ! Même une vache blessée la tiendrait. Docteur

« ... le bruit que j'ai fait en glissant, car ma queue n'était pas étroitement enroulée autour de l'arbre, a réveillé les *bandar-log...* »

de la loi, toi qui cognes les petits, un mille à te dandiner ainsi et tu éclaterais. Assieds-toi tranquillement et réfléchis ! Prépare un plan. Ce n'est pas le moment de donner la chasse. Ils le lâcheront peut-être si nous les suivons de trop près.

– Arroula ! Whou ! Ils l'ont peut-être déjà lâché, fatigués qu'ils sont de le porter. Qui peut se fier aux *bandar-log* ? Qu'on me couvre la tête de chauves-souris mortes ! Qu'on me donne à manger des ossements noircis ! Qu'on me roule dans les essaims d'abeilles sauvages pour qu'elles me piquent à mort et qu'on m'enterre avec l'hyène, car je suis le plus misérable des ours ! Aroula ! Wahoua ! Ô Mowgli, Mowgli ! Que ne t'ai-je mis en garde contre le peuple singe au lieu de t'ouvrir le crâne ? Et qui sait si mes coups ne lui auront pas fait sortir de l'esprit la leçon du jour et s'il ne va pas se retrouver seul dans la jungle sans les maîtres mots. »

Baloo se prit la tête entre les pattes et se mit à rouler de droite et de gauche en poussant des gémissements.

« En tout cas, il y a peu de temps qu'il m'a donné toutes les formules correctement, dit Bagheera d'un ton impatient. Baloo, tu n'as ni mémoire ni respect. Que penserait la jungle si moi, la panthère noire, je me mettais en boule comme Ikki le porc-épic et poussais des hurlements ?

– Que m'importe ce que pense la jungle ? Il est peut-être mort à l'heure qu'il est.

– Tant qu'ils ne l'auront pas lâché du haut des branches en manière de plaisanterie ou qu'ils ne l'auront pas tué par désœuvrement, je n'aurai aucune crainte pour le petit d'homme. Il est sagace, il a reçu une bonne instruction et, surtout, il a ces yeux qui font peur au peuple de la jungle. Mais (et c'est un grand malheur) il est au pouvoir des *bandar-log*, qui, parce qu'ils vivent dans les arbres, ne craignent personne de notre peuple. »

Bagheera se lécha une patte de devant, l'air pensif.

« Imbécile que je suis ! Ô gros imbécile à poil brun, fouilleur de racines, dit Baloo en se déroulant brusquement, c'est vrai ce que dit Hathi l'éléphant sauvage : "À chacun sa peur" ; or, eux, les *bandar-log*, ont peur de Kaa, le serpent des rochers. Il grimpe aussi

Le porc-épic revêt divers accoutrements et ses signalements varient quelque peu. Les porcs-épics sont des rongeurs, qui, contrairement aux hérissons avec lesquels on a tendance à les comparer, ne sont pas carnivores. Ils se nourrissent essentiellement de végétaux. S'il n'en existe pas en Europe, diverses espèces sont répandues en Afrique du Nord.

Ce porc-épic ébouriffé à crête est doté de longs piquants.

Porc-épic malais, autre rongeur impénitent.

Grâce aux couleurs de sa peau, le python peut se camoufler et passer ainsi inaperçu dans le décor où il évolue. Sa puissance est telle qu'il peut paralyser de grosses proies par sa seule force musculaire. Ce reptile non venimeux est qualifié de constricteur : il étouffe sa proie en s'enroulant autour d'elle jusqu'à ce qu'elle expire.

bien qu'eux. Il enlève les jeunes singes la nuit. Le murmure de son nom leur donne froid au bout de leur méchante queue. Allons voir Kaa.

– Que fera-t-il pour nous ? Il n'est pas de notre tribu, car il n'a pas de pieds... et il a l'œil très mauvais, dit Bagheera.

– Il est très âgé et très rusé. Surtout, il a toujours faim, dit Baloo plein d'espoir. Promets-lui beaucoup de chèvres.

– Il passe tout un mois à dormir chaque fois qu'il a mangé. Il se peut qu'il dorme en ce moment et, fût-il éveillé, qui nous dit qu'il ne préférera pas tuer lui-même ses chèvres ? »

Bagheera, qui n'en savait pas long sur Kaa, éprouvait naturellement de la méfiance.

« Alors, dans ce cas, toi et moi, vieux chasseur, pourrions à nous deux lui faire entendre raison. »

Sur ce, Baloo frotta son épaule au brun fané contre le félin et tous deux partirent à la recherche de Kaa le python.

Ils le trouvèrent allongé sur une corniche de rocher, que chauffait le soleil de l'après-midi, en train d'admirer son bel habit neuf, car il venait de faire dix jours de retraite pour muer et maintenant il était vraiment superbe ; il dardait sa grosse tête camuse au ras du sol, contorsionnait les trente pieds de long de son corps en formant des nœuds et des ondulations extraordinaires et se pourléchait les babines à la pensée de son prochain repas.

« Il n'a pas mangé, dit Baloo, qui poussa un grognement de soulagement dès qu'il eut vu la robe somptueuse, marbrée de brun et de jaune. Attention, Bagheera ! Il voit toujours assez mal lorsqu'il vient de muer et il est très prompt à l'attaque. »

Kaa n'était pas un serpent venimeux (en fait il avait plutôt du mépris pour les serpents venimeux, qu'il trouvait lâches), mais sa force résidait dans son étreinte et, une fois pris dans ses énormes anneaux, personne n'avait plus rien à attendre.

« Bonne chasse ! », s'écria Baloo en se dressant sur l'arrière-train. Comme tous les serpents de son espèce, Kaa était plutôt dur d'oreille et il n'entendit pas tout de suite qu'on l'appelait. Puis il se lova, prêt à toute éventualité, la tête baissée.

« Bonne chasse à nous tous, répondit-il. Oh ! Oh ! Baloo, que fais-tu ici ? Bonne chasse, Bagheera. L'un d'entre nous au moins a besoin de nourriture. A-t-on eu vent de gibier dans les parages ? Une biche, par exemple, sinon un jeune mâle. Je suis aussi vide qu'un puits à sec.

– Nous sommes en train de chasser », fit Baloo négligemment.

Il savait qu'il ne faut pas presser Kaa. Il est trop gros.

« Permettez-moi de me joindre à vous, dit Kaa. Donner un coup de plus ou de moins, cela ne compte pas pour toi, Bagheera, ni pour toi, Baloo ; mais moi... moi, je dois attendre, attendre des jours durant, dans un sentier de la forêt et passer la moitié d'une nuit à grimper dans le vague espoir de prendre un jeune singe. Pss... Ouais ! Les branches ne sont plus ce qu'elles étaient du temps de ma jeunesse. Toutes brindilles pourries et rameaux desséchés.

– Peut-être ton grand poids y est-il pour quelque chose, dit Baloo.

– Je suis d'une longueur respectable... d'une longueur respectable, dit Kaa avec une pointe d'orgueil. Mais malgré tout, c'est la faute de ce bois nouveau. J'ai bien failli tomber lors de ma dernière chasse... bien failli en effet... et le bruit que j'ai fait en glissant, car ma queue n'était pas étroitement enroulée autour de l'arbre, a réveillé les *bandar-log*, qui m'ont donné les plus vilains noms.

– Sans patte, ver de terre jaune, dit Bagheera dans ses moustaches, avec l'air d'évoquer un souvenir.

– Ssss ! M'ont-ils vraiment traité de tout cela ? dit Kaa.

– C'est quelque chose de ce genre qu'ils nous ont crié aux oreilles à la dernière lune, mais nous ne leur avons pas prêté la moindre attention. Ils disent n'importe quoi... même que tu as perdu toutes tes dents et que tu refuses de te mesurer à plus gros

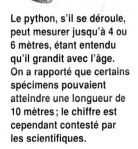

La contraction musculaire est d'une telle force que la victime enserrée n'a aucune rémission possible. Le python absorbe intégralement sa proie. Il en ingère de toutes sortes, certaines, munies de cornes, pouvant lui perforer l'intestin. Le python possède des sucs dissolvants qui amollissent tout ce qu'il absorbe. À l'occasion, un tel reptile détruit des quantités de rats dans les entrepôts. Des pythons accèdent ainsi au rang d'animaux domestiques !

Le python, s'il se déroule, peut mesurer jusqu'à 4 ou 6 mètres, étant entendu qu'il grandit avec l'âge. On a rapporté que certains spécimens pouvaient atteindre une longueur de 10 mètres ; le chiffre est cependant contesté par les scientifiques.

Les banyans, dont la base des racines se développe à l'air libre, se déploient dans les forêts tropicales. Ils forment une végétation tentaculaire aux allures serpentines.

qu'un chevreau, parce que (ils sont vraiment effrontés, ces *bandar-log*), parce que tu as peur des cornes du bouc », poursuivit Bagheera d'un ton suave.

Or un serpent, surtout un vieux python circonspect comme l'était Kaa, montre très rarement qu'il est en colère, mais Baloo et Bagheera virent ondoyer et saillir des deux côtés de la gorge de Kaa les gros muscles de la déglutition.

« Les *bandar-log* ont changé de territoire, dit-il tranquillement. Lorsque je suis monté ici me mettre au soleil, aujourd'hui, j'ai entendu leurs hurlements à la cime des arbres.

– Ce... ce sont les *bandar-log* que nous poursuivons en ce moment », dit l'ours.

Mais les mots lui restèrent dans la gorge, car c'était la première fois, de mémoire de Baloo, qu'un citoyen de la jungle manifestait de l'intérêt pour les agissements des singes.

« Sans aucun doute ce n'est pas une mince affaire qui met deux chasseurs de cette trempe, chefs dans leur propre jungle, j'en suis certain, sur la trace des *bandar-log*, répondit avec courtoisie Kaa, que la curiosité faisait se gonfler.

– En fait, commença Baloo, je ne suis rien de plus que le vieux docteur de la loi, parfois bien sot au demeurant, chargé d'enseigner les louveteaux de Seeonee, et Bagheera que voici...

– Est et demeure Bagheera », dit la panthère noire. Et ses mâchoires se refermèrent avec un claquement sec, car Bagheera ne croyait pas aux vertus de l'humilité. « Voici ce qui nous préoccupe, Kaa : ces voleurs de noix, ces chapardeurs de palmes, ont enlevé notre petit d'homme, dont tu as peut-être entendu parler.

– J'ai vaguement entendu Ikki (ses piquants le rendent présomptueux) parler d'une petite chose humaine admise dans une bande de loups. Ikki est tout plein d'histoires à moitié entendues et fort mal racontées.

– Mais c'est vrai. C'est un petit d'homme comme il n'en fut jamais, dit Baloo. Le meilleur, le plus sagace, le plus hardi des petits d'hommes, mon élève, qui rendra le nom de Baloo célèbre dans toutes les jungles; et en outre, je… nous… nous l'aimons, Kaa.

– Ts! Ts! dit Kaa, balançant la tête de droite et de gauche. Moi aussi, j'ai su ce que c'est que d'aimer. Je pourrais raconter des histoires qu'il…

– Qu'il faudrait une nuit claire où nous serions tous trois rassasiés pour louer comme elles le méritent, s'empressa de dire Bagheera. Pour le moment, notre petit d'homme est aux mains des *bandar-log* et nous savons que, de tout le peuple de la jungle, Kaa est le seul qu'ils craignent.

– Je suis le seul qu'ils craignent; et pour cause, dit Kaa. Bavards, sots, vaniteux; vaniteux, sots et bavards : voilà ce que sont les singes. Mais une petite chose humaine entre leurs mains n'a vraiment pas de chance. Ils se lassent des noix qu'ils cueillent et les jettent au sol. Ils transportent une branche une demi-journée, avec l'intention d'en faire de grandes choses, et puis ils la cassent en deux. Cette créature humaine n'est pas à envier. Ils m'ont traité aussi de… poisson jaune, n'est-ce pas?

– De ver… de ver… de ver de terre, dit Bagheera, et de bien d'autres choses encore que j'aurais honte de répéter ici.

– Il nous faut leur rappeler qu'ils doivent dire du bien de leur maître. Aaassh! Il nous faut aider leur mémoire vagabonde. Voyons, quelle direction ont-ils prise avec le petit?

– La jungle seule le sait. Celle du couchant, je crois, dit Baloo. Nous pensions que tu le saurais, Kaa.

– Moi? Comment? Je les prends quand je les trouve sur mon chemin, mais je ne chasse pas les *bandar-log*, ni les grenouilles… pas plus que la mousse verte à la surface des trous d'eau.

– Par ici, en l'air! En l'air, en l'air! Ohé, ohé, ohé! Lève les yeux, Baloo de la bande des loups de Seeonee! »

Baloo leva les yeux pour savoir d'où venait

Pourvus de canines, les singes sont, pour la plupart, des omnivores – comme nous-mêmes – mangeurs de fruits ou de feuilles mais aussi pilleurs de nids, n'hésitant pas à attaquer les mammifères nouveau-nés.

cette voix, et il aperçut Rann le milan qui piquait dans le ciel, le soleil illuminant le bord relevé de ses ailes. L'heure de son coucher approchait, mais il avait survolé toute la jungle à la recherche de l'ours et n'avait pu le voir à travers l'épaisse frondaison.

« Qu'y a-t-il ? dit Baloo.

– J'ai aperçu Mowgli au milieu des *bandar-log*. Il m'a prié de vous prévenir. Je les ai surveillés. Les *bandar-log* l'ont emmené à la cité des singes, au-delà du fleuve, aux Froids-Repaires. Il se peut qu'ils y restent une nuit, ou dix jours, ou une heure. J'ai dit aux chauves-souris de les surveiller tout le temps qu'il fera noir. Voilà mon message. Bonne chasse à vous tous, en bas.

– Et pour toi, jabot bien rempli et sommeil profond ! s'écria Bagheera. Je me souviendrai de toi la prochaine fois que je tuerai ; je te réserverai la tête à toi seul, ô le meilleur des milans !

– Ce n'est rien. Ce n'est rien. L'enfant possédait le maître mot. Ce que j'ai fait était la moindre des choses. »

Et Rann regagna son aire en décrivant des cercles.

« Il n'a pas oublié de se servir de sa langue, dit Baloo en poussant un petit rire de fierté. Et dire que, si jeune, il s'est souvenu même du maître mot des oiseaux, alors qu'on l'entraînait à travers les arbres!

– On le lui avait enfoncé dans la tête avec la plus grande fermeté, rétorqua le félin. Mais je suis fier de lui. Et maintenant, il faut nous rendre aux Froids-Repaires. »

Tout le monde savait où se trouvait cet endroit, mais rares étaient ceux, parmi le peuple de la jungle, qui s'y rendaient jamais, car ce qu'on appelait les Froids-Repaires était une ville abandonnée, perdue et enfouie dans la jungle, et les bêtes ne fréquentent guère un lieu que les hommes ont déjà fréquenté. Le sanglier le fait, mais pas les tribus de chasseurs. En outre les singes y habitent, si tant est qu'on puisse dire qu'ils habitent quelque part, et aucun animal qui se respectait n'en approchait jusqu'à portée de vue, sauf en période de sécheresse, où les bassins et les réservoirs à moitié en ruine contenaient encore un peu d'eau.

« C'est à une demi-nuit d'ici... en allant à fond de train, dit Bagheera, et Baloo prit un air très sérieux.

– J'irai aussi vite que je le peux, fit-il, inquiet.

– T'attendre serait trop risqué. Suis-nous, Baloo. Il nous faut aller d'un pied rapide, Kaa et moi.

– Avec ou sans pieds, je peux tenir la même allure que toi qui en as quatre », dit Kaa d'un ton cassant.

Baloo s'efforça bien de se hâter, mais il dut vite s'asseoir, essoufflé, et les deux autres le laissèrent donc, pour être rejoints plus tard, Bagheera détalant de son galop rapide de panthère. Kaa ne dit mot, mais Bagheera eut beau faire, l'énorme python restait à sa hauteur. Au passage d'un torrent, Bagheera prit de l'avance en le franchissant d'un bond tandis que Kaa le traversait à la nage, la tête et une demi-aune de cou au-dessus de l'eau; mais en terrain plat Kaa regagna la distance perdue.

Un vautour se pose volontiers à portée d'un monument, comme en pleine nature fauve.

66 Baloo [...] aperçut Rann le milan qui piquait dans le ciel, le soleil illuminant le bord relevé de ses ailes. 99

Jami Masjid, à Mandu, en Inde centrale, est une ville que se disputèrent Hindous et Musulmans. Les ruines de la Jami Masjid, ou grande Mosquée, construite sur le modèle de celle de Damas, témoignent d'un passé glorieux (XIIIe – XVIIe siècles).

« Par la serrure brisée à laquelle je dois la liberté », dit Bagheera quand le crépuscule fut venu, tu ne lambines pas!

– J'ai faim, dit Kaa. En outre, ils m'ont traité de grenouille tachetée.

– De ver... de ver de terre, et jaune par-dessus le marché.

– C'est tout un. Avançons », et Kaa semblait se déverser sur le sol, repérant de ses yeux fixes le chemin le plus court, sans jamais s'en écarter.

Aux Froids-Repaires les singes ne pensaient pas du tout aux amis de Mowgli. Ils avaient amené l'enfant à la cité perdue et, pour le moment, étaient très satisfaits d'eux-mêmes. Mowgli n'avait jamais encore vu de ville indienne et, bien que celle-ci ne fût guère plus qu'un amoncellement de ruines, elle lui sembla vraiment étonnante et superbe. Un roi l'avait bâtie, il y avait fort longtemps, sur une éminence. On pouvait encore discerner les chaussées de pierre qui conduisaient aux portes en ruine où d'ultimes fragments de bois pendaient aux gonds usés et rouillés. Des arbres surgissaient des remparts où ils avaient poussé; les créneaux délabrés s'étaient écroulés et des lianes, qui passaient par les fenêtres des tours surmontant les remparts, pendaient en grosses touffes.

Un vaste palais sans toit surmontait la colline, le marbre des cours et des fontaines était fêlé, taché de rouge et de vert, et dans la cour où vivaient les éléphants du roi, des herbes et de jeunes arbres avaient même soulevé et disjoint les pavés. Du palais on découvrait les innombrables rangées de maisons sans toit qui constituaient la ville, pareille à un nid d'abeilles aux alvéoles vides et enténébrés; le bloc de pierre informe qui avait été une idole, sur la place où se rencontraient quatre routes; les fosses et les rigoles aux coins des rues où se trouvaient jadis les puits publics, et les dômes effondrés des temples aux flancs desquels poussaient des figuiers sauvages. Les singes appelaient cet

endroit leur cité et affectaient de mépriser le peuple de la jungle parce que celui-ci habitait la forêt. Pourtant ils ne savaient jamais à quel usage avaient été destinés les édifices ni comment les utiliser eux-mêmes. Ils s'asseyaient en cercles dans la salle du conseil privé du roi, se grattaient les puces et faisaient semblant d'être des hommes ; ou bien, courant sans cesse, ils entraient dans les maisons sans toit, en ressortaient, amassaient dans un coin des morceaux de plâtre et de vieilles briques, oubliaient où ils les avaient cachés, se jetaient à grands cris dans de violentes mêlées, puis s'égaillaient et s'en allaient folâtrer sur les terrasses du jardin du roi où ils s'amusaient à secouer les rosiers et les orangers pour en voir tomber les fruits et les fleurs. Ils exploraient tous les passages, tous les souterrains obscurs du palais et ses centaines de petites pièces aussi obscures, mais jamais ils ne se rappelaient ce qu'ils avaient vu et ce qu'ils n'avaient pas vu ; et ils erraient ainsi au hasard, un par un, par paires ou en foule, en se disant l'un à l'autre qu'ils faisaient comme les hommes. Ils buvaient aux bassins, rendaient l'eau toute trouble pour se la disputer ensuite, puis s'élançaient tous ensemble en troupes et s'écriaient : « Il n'y a personne dans la jungle d'aussi sagace, d'aussi bon, d'aussi intelligent, d'aussi fort, d'aussi doux que les *bandar-log*. Puis tout recommençait, jusqu'au moment où, lassés de la ville, ils retournaient à la cime des arbres, dans l'espoir que le peuple de la jungle les remarquerait.

Mowgli, éduqué dans le respect de la loi de la jungle, n'aimait pas ce genre de vie et ne le comprenait pas. Les singes l'avaient traîné aux Froids-Repaires en fin d'après-midi et, au lieu d'aller

Ces temples hindous, taillés dans le roc à Ellora (centre de l'Inde), sont ornés de sculptures, dieux, déesses, personnages humains et animaux débordant de vie (VIIIe – IXe siècles). D'autres grottes abritent des temples dédiés à d'autres religions, dont le bouddhisme. Ceux-ci sont moins exubérants.

En 1887 Kipling visita les ruines de Chittor, ancienne capitale du Rajasthan plusieurs fois mise à sac : page de gauche, la tour de la Victoire (XIIe siècle), dessinée en 1861 par William Simpson. Les impressions de Kipling à Chittor lui inspirèrent la description des « Froids-Repaires » dans « La Chasse de Kaa ». En outre, l'auteur donnera le nom d'une princesse de Chittor, Pudimini, à l'éléphant de Petersen Sahib dans « Toomai des éléphants ».

dormir, comme Mowgli l'eût fait après un long trajet, ils se prirent par la main, et se mirent à gambader en chantant leurs stupides chansons. L'un des singes fit un discours et dit à ses compagnons que la capture de Mowgli marquait quelque chose de nouveau dans l'histoire des *bandar-log*, car Mowgli allait leur apprendre à entrelacer des bouts de bois et des tiges de bambou pour s'abriter de la pluie et du froid. Mowgli cueillit quelques lianes, commença à les passer l'une dans l'autre, et les singes essayèrent de l'imiter ; mais au bout de quelques minutes à peine cela cessa de les intéresser et ils se mirent à tirer la queue de leurs camarades ou à sautiller à quatre pattes en toussotant.

« Je voudrais manger, dit Mowgli. Je suis un étranger dans cette partie de la jungle. Apportez-moi de la nourriture ou donnez-moi la permission de chasser ici. »

Vingt ou trente singes partirent en bondissant à la recherche de noix et de papayes sauvages ; mais ils commencèrent à se battre en chemin et ne se donnèrent pas le mal de revenir avec ce qu'il restait de fruits. Mowgli, endolori et furieux tout autant qu'affamé, se mit à parcourir la cité déserte en lançant de temps à autre le cri de chasse de l'étranger, mais nul ne lui répondit et il eut le sentiment qu'il se trouvait en vérité dans un fort mauvais lieu.

« Tout ce qu'a dit Baloo des *bandar-log* est vrai, pensait-il. Ils n'ont ni loi, ni cri de chasse, ni chef ; rien que des mots stupides et leurs petites mains de touche-à-tout chapardeurs. Si donc je meurs de faim ou me fais tuer ici, ce sera entièrement ma faute. Mais il faut que j'essaie de retourner dans ma jungle à moi. Baloo me battra sûrement, mais cela vaut mieux que de courir avec les *bandar-log* après de stupides pétales de roses. »

À peine eut-il atteint l'enceinte de la ville que les singes le ramenèrent de force, en lui disant qu'il ne connaissait pas son bonheur et en le pinçant pour susciter sa gratitude. Il serra les dents sans dire mot, mais, entouré des singes braillards, il se retrouva sur une terrasse qui dominait les réservoirs de grès rouge à moitié remplis d'eau de pluie. Il y avait, au centre de la terrasse, un pavillon de marbre blanc tout en ruine, construit pour des

> **❝** Mowgli n'avait jamais encore vu de ville indienne et, bien que celle-ci ne fût guère plus qu'un amoncellement de ruines, elle lui sembla vraiment étonnante et superbe. **❞**

reines mortes depuis cent ans. Son toit en dôme s'était à moitié effondré et obstruait le passage souterrain par où entraient les reines venant du palais; mais les murs étaient faits de plaques de marbre ajourées, magnifique dentelle blanche comme du lait, sertie d'agate, de cornaline, de jaspe et de lapis-lazuli et, quand la lune se leva au-dessus de la colline, sa lumière passa au travers en projetant sur le sol des ombres qui formaient comme une broderie de velours noir. Malgré la douleur, le sommeil et la faim, Mowgli ne put s'empêcher de rire lorsque les *bandar-log* entreprirent de lui expliquer, vingt à la fois, combien ils étaient grands, sages, forts et doux et comme il était sot de sa part de vouloir les quitter.

« Nous sommes grands. Nous sommes libres. Nous sommes extraordinaires. Nous sommes le peuple le plus extraordinaire de toute la jungle! Nous le disons tous, alors ce doit être vrai, criaient-ils. Or, comme nous avons en toi un nouvel auditeur et que tu peux rapporter nos paroles au peuple de la jungle de manière qu'il nous remarque à l'avenir, nous te dirons tout de nos très excellentes personnes. »

Mowgli ne fit pas d'objection et les singes s'assemblèrent sur la terrasse, par centaines et par centaines, pour écouter leurs orateurs chanter les louanges des *bandar-log*; et chaque fois qu'un orateur, à court de souffle, s'arrêtait, ils s'écriaient tous en chœur « C'est vrai; nous le disons tous. » Mowgli hochait la tête et clignait les paupières, disait « Oui » chaque fois qu'on lui posait une question, et le bruit était tel qu'il en avait le vertige.

« Tabaqui le chacal a dû mordre tous ces gens-là, se dit-il, et les voilà maintenant atteints de folie. C'est certainement cela, *dewanee*, la folie. Ne dorment-ils donc jamais? Mais voici qu'un nuage va masquer cette maudite lune. Si seulement c'était un nuage assez gros, je pourrais essayer de fuir dans l'obscurité. Mais je suis fatigué. »

Le même nuage était l'objet de la vigilance de deux bons amis, dans le fossé en ruine au pied de l'enceinte, car Bagheera et Kaa, qui savaient bien à

Le grand temple de Bhubaneswar, dans l'état d'Orissa, borde le golfe du Bengale. Construit vers l'an 1000, il passe pour être le plus beau sanctuaire hindou de l'Inde. L'ensemble mesure 170 mètres sur 150. La tour curviligne, sans mortier, a 6 mètres de haut.

quel point le peuple singe est dangereux en masse, ne voulaient courir aucun risque. Les singes ne se battent jamais qu'à cent contre un et rares sont dans la jungle ceux qui tiennent à mettre tant de chances contre eux.

« Je vais passer par le mur ouest, murmura Kaa ; je fondrai sur eux tout à coup en profitant de la pente du terrain. Ils ne se jetteront pas sur mon dos, à moi, par centaines, mais…

— Je sais, dit Bagheera. Que Baloo n'est-il ici ! Mais nous devons faire notre possible. Lorsque ce nuage masquera la lune, j'irai sur la terrasse. Ils y tiennent une espèce de conseil au sujet de l'enfant.

— Bonne chasse », dit Kaa d'un air sinistre. Et il fit glisser ses anneaux jusqu'au mur ouest.

Il se trouvait que ce mur-là était le moins en ruine de tous et le gros serpent perdit quelque temps avant de trouver une voie par où parvenir en haut des pierres. Le nuage cacha la lune et, comme Mowgli se demandait ce qui allait survenir, il entendit le pas léger de Bagheera sur la terrasse. La panthère noire avait gravi la pente prestement, presque sans bruit, et (trop avisée pour perdre son temps à mordre) frappait à droite et à gauche parmi les singes assis autour de Mowgli en cercles de cinquante à soixante rangs de profondeur. Il y eut un hurlement de terreur et de rage, puis, tandis que Bagheera trébuchait sur les corps qui roulaient et gigotaient sous ses pas, un singe cria :

« Il n'y en a qu'un par ici ! Tuez-le ! Tuez ! »

Une cohue de singes, mordant, griffant, tirant, déchirant, se referma sur Bagheera pendant que cinq ou six autres s'emparaient de Mowgli, le hissaient en haut du mur du pavillon et le poussaient par l'ouverture du dôme effondré. Un enfant éduqué par les hommes se serait grièvement meurtri, car il avait fait une chute d'une bonne quinzaine de pieds; mais Mowgli tomba comme Baloo lui avait appris à le faire et se reçut sur les jambes.

« Reste là, lui crièrent les singes, jusqu'à ce que nous ayons tué tes amis et, plus tard, nous viendrons jouer avec toi, si le peuple venimeux te laisse la vie sauve.

– Nous sommes du même sang, vous et moi », dit Mowgli, s'empressant de lancer l'appel du serpent.

Il entendit des bruissements et des sifflements dans les décombres tout autour de lui et lança l'appel une seconde fois, par précaution.

« Sssoit! Bas les capuchons, tous! fit une demi-douzaine de voix basses (toutes les ruines, en Inde, hébergent tôt ou tard des serpents et le vieux pavillon grouillait de cobras). Ne bouge pas, petit frère, car tes pieds pourraient nous faire mal. »

Mowgli se tint immobile autant qu'il le put, épiant par les ajours du mur, écoutant le furieux tintamarre au milieu duquel luttait la panthère noire; les hurlements, jacassements, bousculades et le râle rauque et profond de Bagheera qui reculait, faisait le gros dos, se contorsionnait et plongeait sous l'amoncellement de ses ennemis. Pour la première fois depuis sa naissance, Bagheera se battait pour défendre sa vie.

« Baloo doit être tout près; Bagheera n'aurait pas songé à venir sans aide », pensa Mowgli, qui lança ensuite à voix haute : « Le bassin, Bagheera! Laisse-toi rouler jusqu'au bassin. Roule et plonge! À l'eau! »

66 ... toutes les ruines en Inde hébergent tôt ou tard des serpents et le vieux pavillon grouillait de cobras... **99**

Les grottes d'Ajanta sont un autre exemple d'architecture taillée dans le roc, près d'Ellora. L'expression des personnages sculptées est placide, les artistes n'ayant subi que l'influence du bouddhisme. L'intérieur est orné de peintures murales.

Bagheera l'entendit et ce cri, qui l'avertissait que Mowgli était sain et sauf, lui redonna courage. La panthère s'ouvrit un passage, au prix d'efforts acharnés, pouce par pouce, droit en direction des réservoirs, cognant en silence. Alors, du mur en ruine le plus proche de la jungle s'éleva un grondement, le cri de guerre de Baloo. Le vieil ours avait fait de son mieux, mais n'avait pu arriver plus tôt.

« Bagheera, s'écria-t-il, me voici. Je grimpe. Je me hâte !

Ahouwara! Les pierres glissent sous mes pieds! Attendez que j'arrive, ô très abominables *bandar-log!*»

Il se hissa, haletant, en haut de la terrasse, et disparut aussitôt, tête comprise, sous une vague de singes; mais il se mit carrément sur l'arrière-train et, ouvrant toutes grandes les pattes de devant, étreignit autant de singes qu'il en put saisir, puis se mit à cogner à coups réguliers, pan pan pan, pareils au battement cadencé d'une roue à aubes. Un plongeon, suivi d'un clapotis, avertit Mowgli que la panthère avait pu se frayer un chemin jusqu'au bassin, où les singes ne pouvaient la suivre. Elle flottait, hors d'haleine, la tête émergeant à peine, tandis que les singes, occupant sur trois rangs les gradins rouges, trépignaient de rage, prêts à l'assaillir de tous côtés si elle sortait de l'eau pour se porter à l'aide de Baloo. C'est alors que Bagheera leva son menton tout ruisselant et, en désespoir de cause, lança l'appel au secours du serpent, «Nous sommes du même sang, toi et moi», car le fauve croyait que Kaa avait fait demi-tour à la dernière minute. Même Baloo, à demi étouffé sous les singes au bord de la terrasse, ne put réprimer un petit rire en entendant la panthère noire appeler à l'aide.

❝ Mang la chauve-souris, faisant la navette, portait à toute la jungle la nouvelle de la grande bataille... ❞

Kaa venait seulement de réussir à franchir le mur ouest, exerçant, pour se rétablir, un effort si violent qu'il délogea une pierre du couronnement, qui tomba dans le fossé. Il ne tenait à perdre aucun des avantages que lui offrait le terrain; aussi enroula-t-il et déroula-t-il ses anneaux une fois ou deux, pour s'assurer que chaque pouce de son long corps était paré pour l'action. Tout cela, tandis que Baloo poursuivait son combat, que les singes poussaient leurs hurlements autour de Bagheera dans le bassin, que Mang la chauve-souris, faisant la navette, portait à toute la jungle la nouvelle de la grande bataille, si bien que même Hathi l'éléphant sauvage se mit à barrir et que, tout au loin, des bandes éparses de la gent simienne s'éveillèrent et, bondissant sur les routes des arbres, vinrent à l'aide de leurs camarades des Froids-Repaires; tout cela, tandis que le fracas du combat arrachait à leur sommeil les oiseaux diurnes à des milles à la ronde. Puis Kaa fonça tout droit, prompt et avide de tuer. Toute la force d'un python au combat réside dans le coup qu'il assène de sa tête, épaulée de toute la puissance et de tout le poids de son corps. Imaginez une lance, un bélier ou un marteau de près d'une demi-tonne qu'animerait un esprit calme et froid, siégeant dans le manche : vous pourrez alors vous faire une idée de ce qu'était Kaa lorsqu'il se battait. Un python de quatre ou cinq pieds de long peut renverser un homme s'il le frappe en pleine poitrine; or Kaa mesurait trente pieds de long, comme vous le savez. Il frappa d'abord au cœur de la multitude qui entourait Baloo : un coup en plein but, décoché bouche close et en silence, et tel qu'un second fut inutile. Les singes s'éparpillèrent aux cris de « Kaa! C'est Kaa! Sauve qui peut! Sauve qui peut! »

On remarque des variétés de pelage caractéristiques chez les différents types de semnopithèque. Tel le spécimen, ci-dessus, qui porte un col blanchâtre tranchant sur son poil sombre.

Des générations de singes avaient appris à bien se tenir sous l'effet de la peur où les plongeaient les histoires que leur racontaient leurs aînés au sujet de Kaa, le voleur nocturne qui sait se glisser sur les branches sans faire plus de bruit que la mousse lorsqu'elle pousse et peut enlever le singe le plus fort qui ait jamais vécu; au sujet du vieux Kaa, qui sait si bien imiter une branche morte ou une souche pourrie que les plus avisés s'y trompent, jusqu'au moment où la branche les attrape. Kaa incarnait tout ce que les singes redoutent dans la jungle, car aucun d'entre eux ne connaissait de limite à la force du python, aucun d'entre eux ne pouvait le regarder en face et aucun n'était jamais sorti vivant de son étreinte. Aussi fuyaient-ils, bégayant de terreur, sur les murs et sur les toits des maisons, et Baloo poussa un profond soupir de soulagement. Sa fourrure était beaucoup plus épaisse que celle de Bagheera, mais il avait cruellement souffert de la lutte. Alors Kaa ouvrit la bouche pour la première fois, émit un long mot sifflé, et les singes qui accouraient de loin à la rescousse des Froids-Repaires s'arrêtèrent brusquement, blottis dans les branches surchargées, qui finirent par ployer et craquer sous leur poids. Ceux qui se trouvaient sur les murs et les maisons vides cessèrent de crier et,

Le singe entelle (ci-dessus) a comme une auréole tout autour de la tête et un plastron du plus bel effet.

dans le silence qui tomba sur la cité, Mowgli entendit Bagheera secouer ses flancs humides en sortant du bassin. Puis le vacarme reprit. Les singes bondirent plus haut sur les murs ; ils s'agrippèrent au cou des grosses idoles de pierre et, à grand renfort de cris, filèrent en sautillant sur les couronnements crénelés tandis que Mowgli, qui frétillait à l'intérieur du pavillon, l'œil collé aux jours du marbre, huait à la manière des hiboux, entre les dents de devant, pour manifester sa raillerie et son mépris.

Le portique d'un temple dans l'île de Salsette, près de Bombay (gravure de 1795). Les sculptures de ce temple, consacrées à la mythologie hindoue, figurent la différenciation multiforme d'un être unique. Comme celles de l'île voisine d'Elephanta, elles choquèrent, par leurs formes et leurs sujets, les premiers visiteurs occidentaux qui n'en comprenaient pas le symbolisme.

« Tire le petit d'homme de cette trappe ; je ne peux en faire davantage, dit Bagheera d'une voix entrecoupée. Prenons le petit d'homme et allons-nous-en. Ils vont peut-être renouveler leur attaque.

– Ils ne bougeront pas avant que je leur en donne l'ordre. Ressstez comme vous êtes ! » fit Kaa en sifflant. Et la cité fut de nouveau plongée dans le silence. « Je n'ai pu arriver plus tôt, camarade, mais il me semble bien t'avoir entendu appeler » (cela, à l'adresse de Bagheera).

« Il... il se peut que j'aie poussé une exclamation pendant la bataille, répliqua Bagheera. Baloo, es-tu blessé ?

– Je ne jurerais pas qu'ils ne m'ont pas découpé en une centaine, dit Baloo d'un ton grave, en secouant ses pattes, l'une après l'autre. Ouâ ! Je suis tout endolori. Kaa, nous te devons, je pense, la vie, Bagheera et moi.

– Peu importe. Où est l'hominet ?

– Ici, dans une trappe. Je ne peux pas en sortir », s'écria Mowgli. Le dôme béant s'arrondissait au-dessus de lui.

« Emmenez-le. Il se pavane comme Mao le paon. Il va écraser nos petits, dirent les cobras à l'intérieur.

– Ah ! fit Kaa avec un petit rire, il a des amis partout, cet hominet. Recule, hominet ; et vous, du peuple venimeux, cachez-vous. Je vais abattre le mur. »

Kaa examina le mur attentivement, jusqu'à ce qu'il eût trouvé, dans ses entrelacs de marbre, une lézarde ternie qui indiquait un point faible, donna deux ou trois tapes légères de la tête pour évaluer la distance, puis, dressant six pieds de son corps au-dessus du sol, assena au bon endroit, de toute sa force, une demi-douzaine de coups irrésistibles, nez en avant. Le mur ajouré se brisa et s'écroula dans un nuage de poussière et de gravats, sur quoi Mowgli sauta par l'ouverture et se jeta entre Baloo et Bagheera, un bras passé sur chacune des deux grosses nuques.

« Es-tu blessé ? demanda Baloo en l'étreignant doucement.

– Je suis tout endolori, affamé et passablement meurtri ; mais, oh ! ils vous ont atrocement malmenés, mes frères ! Vous saignez.

– Nous ne sommes pas les seuls, dit Bagheera en se pourléchant et en regardant les morts que les singes avaient laissés sur la terrasse et autour du bassin.

– Ce n'est rien, ce n'est rien, du moment que tu es sain et sauf, ô toi, ma fierté d'entre toutes les petites grenouilles, dit Baloo plaintivement.

– De cela nous jugerons plus tard, ajouta Bagheera d'une voix sèche, qui ne plut pas du tout à Mowgli. Mais voici Kaa, à qui nous devons d'avoir gagné la bataille et à qui tu dois la vie. Remercie-le selon nos coutumes, Mowgli. »

Mowgli se retourna et vit la tête du grand python qui oscillait, un pied au-dessus de la sienne.

« Voici donc l'hominet, dit Kaa. Il a la peau très douce et ne diffère pas tellement des *bandar-log*. Prends garde, hominet, que je ne te prenne pour un singe dans le crépuscule, un beau soir où je viendrai de changer de manteau.

– Nous sommes faits du même sang, toi et moi, répliqua Mowgli. C'est de toi que je tiens la vie, ce soir. Ma proie sera ta proie si jamais tu as faim, ô Kaa.

– Un grand merci, petit frère, dit Kaa, bien qu'il eût les yeux pétillants. Et que peut bien tuer un si hardi chasseur ? Qu'il me permette de le suivre lors de sa prochaine sortie.

❝ Les singes bondirent plus haut sur les murs ; ils s'agrippèrent au cou des grosses idoles de pierre… **❞**

❝ Le python posa
doucement la tête sur
les épaules de Mowgli,
l'espace d'une
minute. **❞**

– Je ne tue rien… Je suis trop petit… Mais je rabats des chèvres vers ceux qui savent qu'en faire. Quand tu auras le ventre vide, viens me trouver et tu verras si je dis vrai. Je ne suis pas dépourvu d'adresse, grâce à cela (il tendit les mains), et si jamais tu tombes dans une trappe, je pourrai peut-être m'acquitter de la dette que j'ai envers toi, ainsi qu'envers Bagheera et Baloo, ici présents. Bonne chasse à vous tous, mes maîtres.

– Bien parlé », grommela Baloo, car Mowgli avait offert ses remerciements avec beaucoup de gentillesse.

Le python posa doucement la tête sur les épaules de Mowgli, l'espace d'une minute.

« Cœur vaillant et langue courtoise, dit-il. Cela te conduira loin dans la jungle, hominet. Mais pour le moment, va-t'en vite avec tes amis. Va-t'en dormir, car la lune se couche et ce qui va suivre, il n'est pas bon que tu en sois témoin. »

La lune déclinait derrière les collines, et les rangs de singes tremblants, serrés les uns contre les autres sur les murs et dans les créneaux, évoquaient de vagues franges, en loques et prêtes à se détacher. Baloo descendit boire au bassin et Bagheera se mit à arranger sa fourrure, tandis que Kaa, glissant au centre de la terrasse, fermait les mâchoires avec un claquement sonore, qui attira sur lui le regard de tous les singes.

« La lune se couche, dit-il. Y a-t-il encore assez de lumière pour voir ? »

Des murs parvint un gémissement pareil au vent dans la cime des arbres :

« Nous y voyons, ô Kaa.

– Bien. Et maintenant, la danse va commencer, la danse de la faim de Kaa. Ne bougez pas et regardez. »

Il décrivit, à deux ou trois reprises, un grand cercle en balançant la tête de droite à gauche. Puis il se mit à faire des boucles et des huit avec son corps, des triangles mous et visqueux qui se fondaient en carrés, en pentagones, en tertres lovés, sans jamais s'arrêter, sans jamais se hâter, sans jamais interrompre le sourd fredonnement de son chant. Il faisait de plus en plus sombre et les lourds anneaux aux formes changeantes finirent par disparaître ; mais on entendait toujours le bruissement des écailles.

Cette scène de singes en pleine querelle tournant à la plus confuse violence correspond à l'idée que se faisait Kipling du peuple simiesque.

Baloo et Bagheera restaient figés comme des pierres, grondant du fond de la gorge, les poils de la nuque hérissés, et Mowgli regardait, frappé de stupeur.

« *Bandar-log*, lança enfin la voix de Kaa, pouvez-vous remuer pied ou main sans mon ordre ? Dites !

– Sans ton ordre nous ne pouvons remuer ni pied ni main, ô Kaa !

– Bien ! Faites tous un pas vers moi. »

Les rangs des singes se mirent en branle, incapables de résister, et Baloo et Bagheera firent, comme eux, un pas rigide en avant.

« Plus près ! » siffla Kaa.

Et ils se remirent tous en mouvement. Mowgli posa les mains sur Baloo et sur Bagheera pour les entraîner à l'écart, et les deux grands quadrupèdes tressaillirent comme s'ils avaient été tirés d'un rêve.

« Laisse ta main sur mon épaule, murmura Bagheera. Laisse-l'y, ou je serai forcé de retourner… forcé de retourner vers Kaa. Oh !

– Mais ce n'est que le vieux Kaa en train de faire des ronds dans la poussière, dit Mowgli. Allons-nous-en. »

Et tous trois se faufilèrent par une brèche dans les remparts et regagnèrent la jungle.

Un pont de lianes peut être l'œuvre de la nature ; le plus souvent, cependant, c'est une construction de l'homme. Il peut fort bien faire office de rampe de retraite à l'usage de macaques pris de panique. Quand le besoin s'en fait sentir, ils s'y précipitent sans difficulté.

« Wouf ! fit Baloo, lorsqu'il se retrouva sous le calme des arbres. Jamais plus je ne ferai alliance avec Kaa. »

Et il se secoua des pieds à la tête.

« Il en sait plus que nous, dit Bagheera en tremblant. Je n'aurais pas tardé, si j'étais resté, à m'engouffrer dans son gosier.

– Beaucoup auront pris ce chemin avant le prochain lever de lune, dit Baloo. Il va faire bonne chasse… à sa façon.

– Mais qu'est-ce que tout cela signifiait ? dit Mowgli, qui ignorait totalement le pouvoir de fascination du python. Je n'ai rien vu de plus qu'un gros serpent occupé à faire des ronds grotesques, jusqu'à ce que l'obscurité fût tombée. Et il avait le nez tout écorché. Ah ! Ah !

– Mowgli, dit Bagheera d'un ton courroucé, s'il avait le nez écorché, c'est à cause de toi ; de même, si mes oreilles, mes flancs, mes pattes, ainsi que le cou et les épaules de Baloo, portent des morsures, c'est à cause de toi. Bien des jours passeront avant que Baloo et Bagheera n'aient de plaisir à chasser.

– Ce n'est rien, dit Baloo. Nous avons retrouvé le petit d'homme.

– C'est vrai, mais il nous a coûté cher : en temps que nous aurions pu consacrer à chasser profitablement, en blessures reçues, en poils arrachés (j'ai l'échine à moitié pelée) et, enfin, en honneur perdu. Car rappelle-toi, Mowgli, que moi, la panthère noire, j'ai dû appeler Kaa à l'aide et que la danse de la faim nous a rendus tous deux, Baloo et moi, aussi stupides que de petits oiseaux. Et tout cela, petit d'homme, parce que tu as joué avec les *bandar-log*.

– C'est vrai, c'est vrai, dit Mowgli, affligé. Je suis un méchant petit d'homme et je me sens plein de tristesse au ventre.

– Hum ! Que dit la loi de la jungle, Baloo ? »

Baloo ne souhaitait pas attirer à Mowgli de nouveaux ennuis, mais il ne pouvait pas tourner la loi. Aussi marmonna-t-il :

« L'affliction ne peut en aucun cas faire surseoir au châtiment. Mais rappelle-toi, Bagheera, il est tout petit.

– Je me le rappellerai ; mais il a fait le mal, et le moment est venu de lui administrer des coups. Mowgli, as-tu quelque chose à dire ?

– Non. J'ai mal agi. Baloo et toi, vous êtes blessés. La punition est juste. »

Bagheera lui appliqua une demi-douzaine de tapes affectueuses. Aux yeux d'une panthère, elles avaient à peine assez de force pour éveiller l'un de ses petits, mais pour un garçon de sept ans, c'était une correction telle qu'il souhaiterait en éviter de pareilles. Quand tout fut fini, Mowgli éternua et se releva sans dire mot.

66 Mowgli laissa reposer sa tête sur le dos de Bagheera...**99**

« À présent, dit Bagheera, saute sur mon dos, petit frère, et rentrons chez nous. »

Une des beautés de la loi de la jungle, c'est qu'un châtiment y règle tous les comptes. Il éteint toute querelle.

Mowgli laissa reposer sa tête sur le dos de Bagheera et s'endormit d'un sommeil si profond qu'il ne s'éveilla même pas lorsqu'on le déposa aux côtés de Mère louve, dans la caverne familiale.

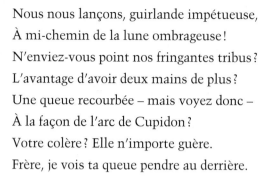

CHANT DE ROUTE DES *BANDAR-LOG*

Nous nous lançons, guirlande impétueuse,
À mi-chemin de la lune ombrageuse !
N'enviez-vous point nos fringantes tribus ?
L'avantage d'avoir deux mains de plus ?
Une queue recourbée – mais voyez donc –
À la façon de l'arc de Cupidon ?
Votre colère ? Elle n'importe guère.
Frère, je vois ta queue pendre au derrière.

En rangs branchus souvent nous méditons
Sur le beau savoir que nous possédons ;
Rêvons d'exploits que le temps de bondir
Nous promettons de tous accomplir :
Un grand dessein, bon, noble et valeureux,
Réalisé par la vertu des vœux.
Nous allons donc… Bah ! Il n'importe guère.
Frère, je vois ta queue pendre au derrière.

Les mots qui viennent nous frapper l'oreille,
Mots d'oiseau, quadrupède ou pipistrelle,
Bêtes à plume, à poil, nageoire, écaille,
Nous les débitons tous, vaille que vaille !
Bravo ! Parfait ! Encore et nous y sommes !
Voici que nous parlons comme des hommes.
Jouons donc à… Bah ! Il n'importe guère.
Frère, je vois ta queue pendre au derrière.
Ainsi du singe est fait le caractère.

Ralliez l'agile bataillon qui empeste les pins,
Monte jusqu'où, léger, festonne le pampre sauvage.
Par l'auguste potin et par la crotte sur nos traces,
Soyez sûrs, soyez sûrs que nous ferons un grand
ouvrage.

Ce cadre sylvestre enveloppant peut offrir un lieu de repli idéal, avec ses banyans et ses lianes étroitement confondus, où ne manquent pas de se fondre les singes voulant échapper à leurs poursuivants. On peut également appeler ce paysage jungle, comme certaines étendues à dominante de hautes herbes ou d'arbres épars.

« TIGRE ! TIGRE ! »

« Qu'en est-il, hardi chasseur, de ta chasse ?

– Frère, l'attente fut longue et de glace.

– Et de la proie que tu devais tuer ?

– Frère, la jungle encor la voit brouter.

– Et de ta fierté, ta force d'antan ?

– Frère, elle baisse et déserte mon flanc.

– Quelle hâte enfin te pousse à courir ?

– Frère, je vais dans mon antre mourir. »

❝ La vallée s'ouvrait sur une vaste plaine parsemée de rochers et coupée de ravins. À une extrémité se dressait un petit village... ❞

Ce contenant cylindrique vertical – un bambou long et creux – permet de transporter l'eau dans la position la moins astreignante pour le dos.

Il nous faut maintenant revenir à notre premier conte. Lorsque Mowgli quitta la caverne du loup après sa querelle avec la bande au rocher du Conseil, il descendit jusqu'aux terres labourées où demeuraient les villageois, mais il ne voulut pas s'y arrêter parce qu'elles étaient trop près de la jungle, et il savait qu'il s'était fait au moins un ennemi dangereux au conseil. Aussi continua-t-il sa course, sans quitter la route raboteuse qui descendait la vallée et qu'il suivit, toujours trottinant, sur près de vingt milles, jusqu'au moment où il parvint dans une contrée qu'il ne connaissait pas. La vallée s'ouvrait sur une vaste plaine parsemée de rochers et coupée de ravins. À une extrémité se dressait un petit village et, à l'autre, la jungle touffue descendait d'un trait jusqu'aux pâturages où elle s'arrêtait net, comme si on l'avait tranchée à la houe. Sur toute l'étendue de la plaine paissaient des vaches et des buffles et, lorsque les petits garçons qui avaient la garde des troupeaux virent Mowgli, ils poussèrent de grands cris et s'enfuirent, et les chiens parias à poil jaune qui rôdent autour de tout village en Inde se mirent à aboyer. Mowgli poursuivit son chemin, car il avait faim, et lorsqu'il atteignit la barrière du village, il vit, poussé sur l'un des côtés, le gros buisson d'épines que l'on tirait devant l'ouverture au crépuscule.

Ce villageois porteur d'eau ne porte plus une outre sur son dos, il équilibre sur ses épaules deux récipients. Cet équilibre lui permet de supporter une charge plus lourde.

«Hem! fit-il, car il avait rencontré plus d'un obstacle de ce genre au cours de ses randonnées nocturnes en quête de nourriture. Les hommes ont donc peur, même ici, du peuple de la jungle.»

Il s'assit tout près de la porte et, lorsqu'il vit un homme la franchir, il se leva, ouvrit la bouche et d'un geste du doigt en montra le fond pour faire comprendre qu'il voulait manger. L'homme écarquilla les yeux et remonta en courant l'unique rue du village, appelant à grands cris le prêtre, qui était un homme gros et gras, habillé de blanc, avec au front une marque rouge et jaune. Le prêtre vint à la porte escorté d'une bonne centaine de personnes qui écarquillaient les yeux, parlaient, criaient et désignaient Mowgli du doigt.

«Quels malappris, ces humains, se dit Mowgli. Il n'y a que le singe gris pour se conduire comme eux.»

Aussi, ramenant sa longue chevelure en arrière, lança-t-il à la foule un regard sévère.

«Qu'y a-t-il là d'effrayant? dit le prêtre. Regardez les marques sur ses bras et ses jambes. Ce sont des morsures de loup. Ce n'est qu'un enfant-loup échappé de la jungle.»

Naturellement, en jouant avec lui, les louveteaux avaient souvent mordillé Mowgli plus fort qu'ils ne le voulaient, et il avait les bras et les jambes couverts de cicatrices blanches. Mais il eût été la dernière personne au monde à parler de morsures, car il savait ce que mordre pour de bon signifie.

« Arré ! Arré ! firent en même temps deux ou trois femmes. Mordu par des loups, le pauvret ! C'est un beau petit. Il a des yeux ardents comme du feu. Foi d'honnête femme, Messua, il ressemble à ton garçon, que le tigre t'a enlevé.

– Voyons ça », dit une femme qui portait de lourds anneaux de cuivre aux poignets et aux chevilles. Après quoi elle mit la main en visière pour dévisager Mowgli. « C'est bien vrai. Il est plus mince, mais il a exactement les traits de mon garçon. »

Le prêtre était un homme habile et il savait que Messua était la femme du plus riche habitant de ce village. Aussi leva-t-il les yeux au ciel un instant, puis déclara-t-il d'un ton solennel :

« Ce que la jungle avait pris, la jungle l'a rendu. Emmène ce garçon chez toi, ma sœur, et n'oublie pas d'honorer le prêtre qui voit si loin dans la vie des hommes. »

Les raies verticales sur le front de ce personnage prouvent qu'il s'agit d'un prêtre adepte de Vishnu. Conservateur de l'univers, Vishnu forme, avec Brahma le Créateur et Çiva le Destructeur, une triade de dieux majeurs.

« Par le taureau qui m'a racheté, se dit Mowgli, avec tous ses discours on croirait que je subis un nouvel examen devant la bande ! Après tout, si je suis homme, homme il me faut devenir. »

La foule s'écarta lorsque la femme fit signe à Mowgli de

la suivre jusqu'à sa cabane, qui contenait un châlit de bois laqué rouge, un énorme pot à grain en terre cuite orné de curieux motifs en relief, une demi-douzaine de marmites en cuivre, une idole de dieu hindou dans une petite niche et, au mur, un miroir véritable, comme on en vend dans les foires de campagne.

Le bât est le dispositif que l'on place sur le dos du bovin domestique pour permettre le transport de l'eau, particulièrement quand le trajet est long.

Elle lui donna une grande rasade de lait et un peu de pain, puis elle posa la main sur sa tête et le regarda dans les yeux, car elle pensait que c'était peut-être bien son fils, revenu de la jungle où le tigre l'avait emporté. Aussi l'appela-t-elle « Nathoo, ô Nathoo ! », mais Mowgli n'eut pas l'air de connaître ce nom.

« Tu ne te souviens pas du jour où je t'ai donné des chaussures neuves ? » Elle lui toucha un pied, qui était presque aussi dur que de la corne. « Non, dit-elle, désolée ; ces pieds-là n'ont jamais porté chaussures, mais tu ressembles beaucoup à mon Nathoo et tu seras mon fils. »

Mowgli se sentait mal à l'aise parce qu'il ne s'était jamais encore trouvé sous un toit ; mais en regardant le chaume, il vit qu'il pourrait toujours l'arracher s'il voulait s'enfuir et il vit aussi que la fenêtre n'avait pas de fermeture. « Mais à quoi bon être homme, se dit-il enfin, quand on ne comprend pas le parler des hommes ? Me voilà stupide et muet, tout comme le serait un homme parmi nous dans la jungle. Il faut que j'apprenne leur parler. »

Ce n'était pas par plaisir qu'il avait appris, lorsqu'il vivait parmi les loups, à imiter le cri de défi des cervidés et le grognement du petit cochon sauvage. Aussi, dès que Messua prononçait un mot, il le répétait presque à la perfection et, avant la nuit, il avait appris le nom de beaucoup d'objets de la cabane.

Une difficulté surgit à l'heure du coucher parce que Mowgli ne voulait pas dormir dans un espace clos comme cette cabane, qui ressemblait à une trappe de panthère ; aussi, une fois la porte fermée, s'échappa-t-il par la fenêtre.

« Laisse-le faire, dit le mari de Messua. Rappelle-toi qu'il n'a jamais encore eu l'occasion de dormir dans un lit. S'il nous a vraiment été envoyé à la place de notre fils, il ne s'enfuira pas. »

Exclus de la société, ce lépreux mendiant et ce chien paria, dessinés par J. L. Kipling. Les chiens parias tirent leur nom des individus qui occupent le plus bas degré de l'échelle sociale et dont le contact est considéré comme une souillure. Ce sont des chiens domestiques revenus à un état demi-sauvage.

Mowgli alla donc s'étendre dans l'herbe haute et propre qui bordait un champ, mais il n'avait pas fermé les yeux qu'un museau gris et doux vint se fourrer sous son menton.

« Pouah ! dit Frère-Gris (c'était l'aîné des petits de Mère louve). Je suis mal récompensé d'avoir fait vingt milles sur tes traces. Tu sens la fumée de bois et le bétail, tout à fait comme un

66 … il n'avait pas fermé les yeux qu'un museau gris et doux vint se fourrer sous son menton. **99**

homme, déjà. Réveille-toi, petit frère ; je t'apporte des nouvelles.

– Tout le monde va-t-il bien dans la jungle ? demanda Mowgli en le serrant dans ses bras.

– Tout le monde, sauf les loups qui se sont brûlés à la fleur rouge. Mais écoute-moi. Shere Khan est parti chasser au loin jusqu'à ce que son pelage repousse, car il s'est fait sérieusement roussir. Il jure qu'à son retour il répandra tes os dans la Waingunga.

– Nous sommes deux à avoir donné notre parole. J'ai fait moi aussi une petite promesse. Mais il est toujours bon d'avoir des nouvelles. Je suis fatigué ce soir, très fatigué de nouveautés, Frère-Gris ; mais ne manque pas de m'apporter les nouvelles.

– Tu n'oublieras pas que tu es un loup ? Les hommes ne te le feront pas oublier ? demanda Frère-Gris d'un ton inquiet.

– Jamais. Je me rappellerai toujours que je t'aime, ainsi que tous ceux qui vivent dans notre caverne, mais je me rappellerai toujours aussi que j'ai été exclu de la bande.

– Et que tu pourrais bien l'être d'une autre bande. Les hommes ne sont que des hommes, et leurs discours sont comme les discours des grenouilles dans une mare. Quand je redescendrai ici je t'attendrai dans les bambous, en bordure des pacages. »

Trois mois durant, après cette nuit-là, Mowgli ne sortit pour ainsi dire jamais du village, tant il était occupé à apprendre les us et coutumes des hommes. Tout d'abord il lui fallut porter un pagne autour de la taille, ce qui l'horripila ; puis il lui fallut apprendre ce qu'était l'argent, à quoi il ne comprenait rien du tout, et le labourage, dont il ne voyait pas l'utilité. En outre, les petits enfants du village le mettaient fort en colère. Par chance, la loi de la jungle lui avait appris à garder son sang-froid, car dans la jungle il est indispensable, pour survivre et se nourrir, de le conserver ; mais lorsque les enfants se moquaient de lui parce qu'il ne voulait pas prendre part à leurs jeux ni lancer de cerf-volant, ou parce qu'il prononçait quelque mot de travers, seule la conviction qu'il est indigne d'un chasseur de tuer des petits tout nus le retenait de les saisir et de les casser en deux. Il n'avait nullement conscience de sa force. Dans la jungle il se savait faible comparé aux autres bêtes,

Ces Indiens de différentes castes incarnent la rigoureuse division sociale qui a régi l'Inde jusqu'à nos jours et fut imposée par les conquérants indo-européens il y a plus de 3 000 ans. La population fut divisée en classes, qui se ramifient en sous-groupes. L'essence du système des castes, aujourd'hui aboli en droit, était double : l'hérédité de la condition sociale et l'attribution d'occupations spécifiques et de devoirs inhérents à chaque caste.

mais au village on disait qu'il avait la force d'un taureau.

Mowgli n'avait pas non plus la moindre idée des différences que créent les castes entre les hommes. Lorsque l'âne du potier glissa dans l'argilière, Mowgli l'en fit sortir en le tirant par la queue et il aida à empiler les pots pour leur transport jusqu'au marché de Khanhiwara. Cela aussi fut cause de scandale, car le potier est de basse caste, et son âne se situe encore plus bas. Lorsque le prêtre le réprimanda, Mowgli menaça de le jucher sur l'âne, lui aussi, et le prêtre dit au mari de Messua qu'il serait bon de mettre Mowgli au travail dès que possible. Le chef du village dit alors à Mowgli qu'il devrait sortir le lendemain avec les buffles et les garder pendant qu'ils seraient à paître. Nul n'en fut plus heureux que Mowgli ; et le soir même, parce qu'on l'avait, en quelque sorte, préposé au service du village, il alla se joindre à un cercle qui se réunissait en fin de journée sur une plate-forme en maçonnerie, au pied d'un grand figuier. C'était le club du village, et le chef, le veilleur, le barbier (au courant de tous les cancans) et le vieux Buldeo, le chasseur du village, qui possédait un mousquet, s'y retrouvaient pour fumer. Les singes bavardaient, accroupis dans les hautes branches, et il y avait sous la plate-forme un trou où vivait un cobra, qui avait sa petite écuelle de lait tous les soirs parce qu'il était sacré ; et les vieux assis autour de l'arbre bavardaient, tirant des bouffées de leurs gros *houkas* jusqu'à une heure avancée de la nuit. Ils racontaient d'extraordinaires histoires de dieux, d'hommes, de fantômes ; et Buldeo en racontait, sur les mœurs des animaux de la jungle, de plus extraordinaires encore, qui faisaient sortir les yeux de la tête aux enfants assis à l'extérieur du cercle. La plupart des histoires avaient trait à des bêtes, car ces villageois avaient toujours la jungle à leur porte. Les cervidés et le cochon sauvage déracinaient leurs récoltes et de temps en temps le tigre enlevait un homme au crépuscule, en vue des portes du village.

Mowgli, qui, naturellement, en savait un bout sur l'objet de ces histoires, devait se couvrir le visage pour qu'on ne le vît pas rire pendant que Buldeo, le mousquet posé en travers des genoux,

Les massifs de bambous des pays tropicaux peuvent constituer de véritables forêts si denses en leur sommet que la lumière du jour filtre à peine. Certains voyageurs, faute de repères, s'y sont égarés pendant des jours avant de retrouver une issue.

Ce dessin de Rudyard Kipling, intitulé « Bonne saison » porte la légende suivante en vers anglais : « Le laboureur plongea le soc/ À fond dans la glèbe asséchée/ Du bétail et du blé j'ai soin/ Le reste à la grâce de Dieu. »

Au pays des vaches sacrées, on admire cette paisible figuration d'une alliance millénaire.

passait d'une histoire à l'autre, toujours plus extraordinaire, et que les épaules du jeune garçon se trémoussaient.

Buldeo expliquait que le tigre qui avait enlevé le fils de Messua était un tigre fantôme et que son corps était habité par l'esprit d'un vieux fripon d'usurier, mort depuis quelques années.

« Et je sais que c'est vrai, disait-il, parce que Purun Dass boitait toujours à la suite du coup qu'il avait reçu dans une émeute où l'on avait brûlé ses livres de comptes, et que le tigre dont je parle boite, lui aussi, car ses pattes laissent des empreintes inégales.

– C'est vrai, c'est vrai ; ce doit être vrai, dirent les vieilles barbes, hochant la tête de concert.

– Toutes vos histoires ne sont-elles que fadaises et balivernes de ce genre ? demanda Mowgli. Ce tigre boite parce qu'il est né boiteux, comme chacun sait. Dire que l'âme d'un usurier loge dans une bête qui n'a jamais eu le courage d'un chacal, c'est de l'enfantillage. »

Buldeo fut un instant muet de surprise et le chef ouvrit de grands yeux.

« Tiens, tiens ! Voilà donc le gamin de la jungle ? fit Buldeo. Puisque tu es si malin, tu ferais mieux d'apporter la peau de ce tigre à Khanhiwara, car le gouvernement a mis sa tête à prix pour cent roupies. Mais tu ferais encore mieux de te taire quand tes aînés ont la parole. »

Mowgli se leva pour partir.

« J'ai passé toute la soirée couché ici à écouter, lança-t-il par-dessus son épaule, et, sauf une fois ou deux, Buldeo n'a pas dit un mot de vrai sur la jungle, qui se trouve juste à sa porte. Comment croirais-je, alors, les histoires de fantômes, de dieux et de lutins qu'il prétend avoir vus ?

– Il est grand temps que ce garçon aille garder les troupeaux », dit le chef, tandis que Buldeo écumait et étouffait de rage devant l'impertinence de Mowgli.

Dans la plupart des villages de l'Inde, la coutume veut qu'une poignée de jeunes garçons emmènent paître les vaches et les buffles le matin de bonne heure et les ramènent le soir ; et les mêmes bêtes qui piétineraient un homme blanc à mort acceptent les coups, les rudoiements et les cris d'enfants qui leur arrivent à peine au museau. Tant que ces enfants restent près des troupeaux ils sont en sécurité, car pas même le tigre n'ose attaquer un grand rassemblement de bétail. Mais s'ils s'écartent pour cueillir des fleurs ou chasser le lézard, il leur arrive parfois de se faire enlever. Mowgli descendit la rue du village à l'aube, assis sur le dos de Rama, le grand taureau du troupeau ; les buffles bleu ardoise, avec leurs longues cornes recourbées et leurs yeux féroces, se levèrent et quittèrent leurs étables, un par un, et Mowgli fit clairement comprendre à ses compagnons qu'il était le maître. Il frappait les buffles avec un long bambou poli et dit à Kamya, l'un des jeunes garçons, de faire paître les vaches à part, tandis qu'il conduirait les buffles plus loin, et d'avoir bien soin de ne pas s'éloigner du troupeau.

Faute de pâture suffisante, de tels bovins viennent parfois jusqu'au cœur des villes indiennes, où ils exposent un corps efflanqué.

Un pâturage indien est tout en rochers, en broussailles, en touffes d'herbe et en ravines parmi lesquels les troupeaux de vaches se dispersent et disparaissent. Les buffles en général se tiennent dans les mares et les bourbiers, où ils passent des heures à se rouler ou à se chauffer dans la boue tiède. Mowgli les conduisit jusqu'à la lisière de la plaine, où la Waingunga sort de la jungle ; là, il se laissa glisser du cou de Rama et s'en alla trottant vers un bouquet de bambous, où il trouva Frère-Gris.

66 Mowgli descendit la rue du village à l'aube, assis sur le dos de Rama, le grand taureau du troupeau. **99**

Kipling n'a jamais visité la région de Seoni, entre Jabalpur au nord et Nagpur au sud, où se déroulent les aventures de Mowgli. En 1888 deux de ses amis, le professeur Hill et sa femme, visitent cette région alors qu'il séjourne chez eux, à Allahabad. Dans les lettres qu'elle lui écrit, Mrs Hill décrit les jungles qui bordent le cours de la Waigunga et les gorges du Nerbudda (ou Narmada) en joignant les photos qu'a prises son mari (ci-contre). En haut à droite : la forteresse de Madan Mahal, au sommet d'un pic, près de Jabalpur, jadis occupée par les Gonds, premiers habitants de l'Inde. En haut à gauche : Pachmarhi sur le Nerbudda à environ 150 kilomètres à l'Ouest de Seoni et 1000 mètres d'altitude. Les Britanniques en avait fait la capitale d'été des provinces du centre. En bas à droite : les monts Mahadéo (1350 mètres environ) près de Pachmarhi). En bas à gauche : une scène de la vie quotidienne dans un village du Nord-Ouest.

Chèvres à longs poils, moutons revêtus de laine abondante, ou bœufs à bosse offrent à la société des hommes leur toison et leur lait, ou encore leur labeur. Le plus célèbre des bovins à bosse est le zébu, très répandu sous sa forme originale à Madagascar.

Les buffles et les grands bovins sauvages se vautrent dans la boue pour s'en faire, lorsqu'elle sèche, une carapace qui les protège contre les assauts des insectes piqueurs, tels que les taons.

« Ah, dit Frère-Gris, cela fait des jours que j'attends ici. Que signifie cette besogne de gardien de troupeaux ?

– C'est un ordre que j'ai reçu, dit Mowgli. Je suis pour quelque temps vacher de village. Quelles nouvelles de Shere Khan ?

– Il est revenu dans le pays et t'a longtemps attendu ici. À présent il est reparti, car le gibier est rare. Mais il a l'intention de te tuer.

– Très bien, dit Mowgli. Tant qu'il sera absent, viens t'asseoir, toi ou l'un de tes trois frères, sur ce rocher-là, de manière que je puisse vous voir en sortant du village. Lorsqu'il sera revenu, attends-moi dans le ravin près du *dhâk*, au milieu de la plaine. Inutile d'aller se mettre dans la gueule de Shere Khan. »

Puis Mowgli repéra un coin ombragé, s'y étendit et s'endormit pendant que les buffles paissaient alentour. Garder les troupeaux en Inde est une des occupations les moins fatigantes du monde. Les vaches vont et viennent en broutant, se couchent, puis changent encore de place. Elles ne mugissent même pas, mais se contentent de grogner ; quant aux buffles, ils donnent très rarement de la voix, mais pénètrent dans les mares fangeuses, l'un après l'autre, s'enfoncent dans la boue jusqu'à ce que leurs naseaux et leurs grands yeux bleu de porcelaine émergent seuls à la surface, puis il restent là, immobiles comme des bûches. Le soleil fait trémuler les rochers dans la chaleur et les petits vachers entendent un milan (toujours seul) siffler au-dessus de leur tête, très haut, presque invisible, et ils savent que s'ils venaient à mourir, ou qu'une vache venait à mourir, ce milan piquerait, que son voisin, à des milles de distance, le verrait s'abattre et le suivrait, que le voisin de celui-ci ferait de même et ainsi de suite, et que presque avant qu'ils fussent morts une vingtaine de milans affamés auraient surgi de nulle part. Puis ils dorment, s'éveillent et se rendorment, tressent de petits paniers d'herbe sèche et y enferment des sauterelles ; ou bien ils attrapent deux mantes religieuses et les font se battre ; ou ils enfilent un collier de noix de la jungle, rouges et noires ; ou encore, ils observent un lézard qui se chauffe au soleil sur un rocher ou un serpent lancé à la poursuite d'une grenouille près des bourbiers. Puis ils chantent de longues, longues mélopées indigènes qui se terminent par d'étranges trémolos et la journée paraît plus longue qu'à la plupart des gens la vie entière. Il leur arrive aussi de faire un château de boue, avec des figurines d'hommes, de chevaux et de buffles, en boue également, de placer des roseaux dans la main des hommes et de faire semblant d'être des rois dont les figurines représentent les armées, ou des dieux qu'il faut adorer. Puis vient le soir ; les enfants appellent ; les buffles se dégagent lourdement de la boue gluante dans une pétarade et, tous à la queue leu leu, traversent la plaine grise pour regagner le village et ses lumières clignotantes.

Que la mort de ce ruminant soit naturelle ou que son tueur se soit éloigné, les vautours se présentent à la

Jour après jour, Mowgli conduisait les buffles à leurs bourbiers et, jour après jour, il voyait le dos de Frère-Gris à un mille et demi de là, dans la plaine (il savait ainsi que Shere Khan n'était pas revenu) et, jour après jour, il s'allongeait dans l'herbe, prêtant l'oreille alentour et rêvant aux jours anciens dans la jungle. Si Shere Khan avait fait un faux pas de sa patte boiteuse, là-haut dans les jungles qui bordent la Waingunga, Mowgli l'aurait entendu, par ces longues matinées tranquilles.

Un jour vint enfin où il ne vit point Frère-Gris à l'endroit convenu. Il rit et dirigea les buffles vers le ravin proche du *dhâk*, qui était tout couvert de fleurs d'un rouge doré. Là se trouvait Frère-Gris, assis, tous les poils de l'échine hérissés.

« Il se cache depuis un mois pour endormir ta vigilance. Il a franchi les crêtes, la nuit dernière, avec Tabaqui, et il te talonne », dit le loup, hors d'haleine.

curée. Strictement charognards, ils se nourrissent principalement de cadavres d'animaux et d'hommes. Il existe même une religion, celle des Parsis, qui veut que chaque défunt leur soit offert pour être totalement désincarné par ces oiseaux.

Mowgli fronça les sourcils.

« Je n'ai pas peur de Shere Khan, mais Tabaqui est plein de ruse.

– Sois sans crainte, dit Frère-Gris, en se pourléchant discrètement les babines. J'ai rencontré Tabaqui à l'aube. À présent il fait part de toute sa sagesse aux milans, mais il m'a tout raconté, à moi, avant que je ne lui casse les reins. Shere Khan projette de t'attendre ce soir à la porte du village, toi et personne d'autre. En ce moment il est couché dans le grand ravin à sec de la Waingunga.

– A-t-il mangé aujourd'hui, ou chasse-t-il le ventre vide ? demanda Mowgli, car la réponse à cette question signifiait, pour lui, la vie ou la mort.

– Il a tué à l'aube… un cochon… et il a bu aussi. Rappelle-toi, jamais Shere Khan ne pourrait rester à jeun, pas même pour se venger.

– Oh ! L'imbécile, l'imbécile ! Deux fois enfant ! Mangé et bu aussi ; et il se figure que je vais attendre qu'il ait fini de dormir ! Voyons, où est-il couché ? Si seulement nous étions dix, nous pourrions en venir à bout pendant qu'il est couché. Mais ces buffles ne chargeront que s'ils l'éventent, et je ne sais pas parler leur langue. Pouvons-nous passer derrière lui, de manière qu'ils flairent sa piste ?

– Il a descendu une bonne partie de la Waingunga à la nage pour l'effacer, dit Frère-Gris.

– C'est Tabaqui qui lui a appris cela, je le sais. Il n'y aurait jamais pensé tout seul. » Mowgli, debout, un doigt dans la bouche, réfléchissait. « Le grand ravin de la Waingunga… Il débouche dans la plaine, à moins d'un mille d'ici… Je peux faire faire au troupeau un détour par la jungle jusqu'en haut du ravin et, de là, fondre… Mais il se déroberait par le bas. Il nous faut bloquer cette issue. Frère-Gris, peux-tu me couper le troupeau en deux ?

– Pas tout seul, peut-être… Mais j'ai amené en renfort quelqu'un d'avisé. »

Frère-Gris s'éloigna au trot et disparut dans un trou. Alors émergea une énorme tête grise que

Vigoureux, le sanglier indien diffère peu de celui d'Europe. C'est un énergique broussard (un « bouffe-tout-cru ») qui mange indifféremment mollusques, petits rongeurs, insectes, larves d'insectes, cadavres de rencontre, céréales, tubercules, racines et plantes diverses. Le sanglier mâle, ou verrat, mangerait même ses petits si la laie ne prenait la précaution de les faire naître à l'écart de ses convoitises. Et là où le tigre devient rare, le porcin vagabond, qui n'a plus de prédateur assez puissant, prospère allègrement, posant problème aux agriculteurs.

Mowgli connaissait bien et l'air chaud retentit du cri le plus lugubre de toute la jungle, le hurlement de chasse d'un loup à midi.

« Akela ! Akela ! dit Mowgli en battant des mains. J'aurais pu me douter que tu ne m'oublierais pas. Nous avons une rude besogne sur les bras. Coupe le troupeau en deux, Akela. Maintiens les femelles et leurs petits rassemblés d'un côté, les mâles et les buffles de labour de l'autre. »

Une tigresse entoure ses petits de soins jaloux. Elle ne manquera pas de les défendre avec un furieux courage dès le moment qu'ils se trouveront en danger.

Les deux loups se faufilèrent, comme des danseuses faisant la chaîne, entre les bêtes, qui renâclèrent, la tête dressée, et se scindèrent en deux groupes. D'un côté, les femelles, avec leurs petits au milieu, lançaient des regards enflammés et piaffaient, prêtes, si seulement l'un des deux loups s'était arrêté, à le fouler à mort. De l'autre, les mâles, jeunes et vieux, renâclaient et frappaient du sabot ; mais malgré leur air plus imposant, ils étaient beaucoup moins dangereux, car ils n'avaient pas de petits à protéger. Jamais une demi-douzaine d'hommes n'aurait pu partager le troupeau avec autant de précision.

« Tes ordres, maintenant ? dit Akela hors de souffle. Ils essaient de se réunir. »

Mowgli monta prestement sur le dos de Rama.

« Chasse les mâles vers la gauche, Akela. Frère-Gris, quand nous serons partis, maintiens les femelles groupées et fais-leur remonter le débouché du ravin.

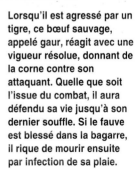

— Jusqu'où ? demanda Frère-Gris, haletant et faisant claquer ses dents.

— Jusqu'à l'endroit où les flancs deviennent trop hauts pour que Shere Khan puisse les franchir d'un saut, cria Mowgli. Maintiens-les là jusqu'à ce que nous descendions. »

Les mâles s'élancèrent rapidement aux premiers hurlements d'Akela, et Frère-Gris se campa devant les femelles. Elles le chargèrent et il gagna, courant à quelques pas seulement devant elles, le débouché du ravin, pendant qu'Akela chassait les mâles loin sur la gauche.

Lorsqu'il est agressé par un tigre, ce bœuf sauvage, appelé gaur, réagit avec une vigueur résolue, donnant de la corne contre son attaquant. Quelle que soit l'issue du combat, il aura défendu sa vie jusqu'à son dernier souffle. Si le fauve est blessé dans la bagarre, il rique de mourir ensuite par infection de sa plaie.

«Bravo! Encore une charge et ils seront bien lancés. Attention! maintenant; attention! Akela. Un coup de dent de trop, et les mâles chargeront. *Hujah*. Voilà course plus effrénée qu'une chasse à l'antilope. Croyais-tu que ces créatures pouvaient aller si vite? lança Mowgli.

– J'ai… j'en ai chassé aussi en mon temps, fit Akela, suffoquant dans la poussière. Dois-je les rabattre dans la jungle?

– Oui! Rabats-les vite! Rama est fou de rage. Oh! Si seulement je pouvais lui dire ce que j'attends de lui aujourd'hui! »

Les mâles furent rabattus sur la droite, cette fois, et pénétrèrent à grand fracas dans les hauts fourrés. Les autres enfants, témoins de cette scène tandis qu'ils gardaient les vaches à un demi-mille de là, s'en furent au village à toutes jambes en criant que les buffles, devenus furieux, s'étaient échappés.

Mais le plan de Mowgli était assez simple. Tout ce qu'il souhaitait, c'était de monter en faisant un grand détour jusqu'en haut du ravin, puis d'y faire dévaler les mâles et de coincer Shere Khan entre eux et les femelles; car il savait qu'après avoir mangé et bien bu le tigre ne serait nullement en état de se battre ou de gravir les flancs du ravin. À présent il calmait les buffles de la voix, et Akela, resté loin en arrière, se contentait de pousser un ou deux petits cris pour faire presser le pas à l'arrière-garde. Ce fut un long, un très long détour, car ils ne voulaient pas serrer le ravin de trop près et donner ainsi l'alerte à Shere Khan. Enfin Mowgli rassembla le troupeau effaré sur un coin de prairie qui tombait en pente raide dans le ravin même. De cette hauteur on découvrait, par-dessus la cime des arbres, la plaine tout en bas; mais ce qui attira le regard de Mowgli, ce furent les flancs du ravin : il vit avec beaucoup de satisfaction qu'ils étaient presque à pic et que les plantes rampantes ou grimpantes qui s'y accrochaient n'offriraient aucune prise à un tigre qui voudrait s'échapper.

« Laisse-les souffler, Akela, dit-il en levant la main. Ils ne l'ont pas encore éventé. Laisse-les souffler. Il faut que je m'annonce à Shere Khan. Nous l'avons pris au piège. »

Il mit les deux mains en porte-voix, poussa un cri vers l'aval (on eût presque dit qu'il criait dans un tunnel) et les échos rebondirent de rocher en rocher. Au bout d'un long moment répondit le feulement traînant, léthargique, d'un tigre repu qui vient d'être tiré de son sommeil.

« Qui appelle ? » interrogea Shere Khan.

Et, dans un claquement d'aile, un superbe paon surgit du ravin, lançant un cri aigu.

« C'est moi, Mowgli. Voleur de bétail, l'heure est venue de comparaître devant le rocher du Conseil ! Allez ! Fais-les dévaler, Akela ! Vas-y, Rama, vas-y ! »

Le troupeau hésita un instant au bord de la pente, mais Akela fit retentir son grand hurlement de chasse et les bêtes basculèrent l'une après l'autre, comme des vapeurs franchissent des rapides, en projetant autour d'elles du sable et des pierres. Maintenant qu'elles étaient lancées, rien ne pouvait plus les arrêter et, avant qu'elles eussent atteint le fond même du ravin, Rama éventa Shere Khan et poussa un mugissement.

« Ha ! Ha ! fit Mowgli, juché sur son dos. Maintenant, tu sais ! »

Et le flot de cornes noires, de mufles écumants et d'yeux hagards s'engouffra dans le ravin, comme des quartiers de roc en temps de crue, les buffles les plus faibles, repoussés de côté, se frayant un passage dans les plantes grimpantes. Les bêtes savaient quelle besogne les attendait : la charge terrible d'un troupeau de buffles, à laquelle aucun tigre ne peut espérer résister. Shere Khan entendit le tonnerre de leurs sabots, se leva et descendit péniblement le ravin,

66 … ce qui attira le regard de Mowgli, ce furent les flancs du ravin… **99**

Dans le plumage chatoyant du paon, la plus belle partie épouse la forme d'un cercle éblouissant où se lisent les couleurs de l'arc-en-ciel.

La roue que déploie le paon mâle est l'un de ses attributs de séduction; les plumes de sa queue prennent la forme d'un éventail. Au cours de la parade amoureuse, il répète cette figure très souvent, tout en poussant des cris stridents, comme s'il prononçait le nom «Léon». Sans doute un argument sonore qui ajoute à sa séduction.

regardant d'un côté et de l'autre dans l'espoir de trouver quelque issue par où s'échapper; mais les parois tombaient à pic et il dut poursuivre son chemin, alourdi par ce qu'il avait mangé et bu, prêt à tout plutôt qu'à se battre. Le troupeau franchit en pataugeant la mare que le tigre venait de quitter, avec des mugissements tels que l'étroite gorge finit par résonner de toutes parts. Mowgli entendit d'autres mugissements leur répondre du débouché du ravin, vit Shere Khan faire volte-face (le tigre savait qu'en désespoir de cause mieux valait affronter les mâles que les femelles avec leurs petits), puis Rama broncha, trébucha, repartit en écrasant quelque chose de flasque et, talonné par les mâles, heurta de plein fouet l'autre troupeau, tandis que les plus faibles des buffles étaient soulevés, les quatre sabots bien au-dessus du sol, sous l'effet du choc. La charge entraîna jusque dans la plaine les deux troupeaux qui piétinaient, renâclaient et se déchiraient à coups de cornes. Mowgli attendit le moment favorable et se laissa glisser du dos de Rama, frappant de droite et de gauche avec son bâton.

« Vite, Akela ! Sépare-les. Disperse-les, sinon ils vont se battre entre eux. Éloigne-les, Akela. Haï,

❝ ... (le tigre savait qu'en désespoir de cause mieux valait affronter les mâles que les femelles avec leurs petits)... **❞**

Rama! Haï! haï! haï! mes petits. Tout doux maintenant, tout doux! C'est fini. »

Akela et Frère-Gris allaient et venaient, mordillant les buffles aux jambes et, bien que le troupeau se fût une fois retourné pour remonter le ravin au galop, Mowgli réussit à faire faire demi-tour à Rama, et les autres le suivirent jusqu'aux bourbiers.

Il n'y avait plus besoin de piétiner Shere Khan. Il était mort et, déjà, les milans venaient s'emparer de lui.

❝ … levant les yeux, il vit Buldeo, avec son mousquet. ❞

« Frères, il est mort comme un chien, dit Mowgli, cherchant de la main le couteau qu'il portait toujours dans une gaine suspendue à son cou maintenant qu'il vivait chez les hommes. Mais jamais il n'aurait sorti ses griffes. Sa peau fera bel effet sur le rocher du Conseil. Mettons-nous vite à l'œuvre. »

Un garçon élevé parmi les hommes n'aurait jamais songé à dépouiller seul un tigre de dix pieds, mais Mowgli savait mieux que personne comment la peau d'un animal lui tient au corps et comment s'y prendre pour l'ôter. Ce fut cependant un dur labeur et Mowgli fut une heure à taillader, à déchirer, à grogner, tandis que les loups laissaient pendre la langue ou s'avançaient pour tirer sur la peau, suivant ses ordres.

Ci-dessus, une scène courante du Pendjab au siècle dernier : les chasseurs écartèlent le fauve pour l'écorcher, puis ôtent la peau.

Mais bientôt une main s'abattit sur son épaule et, levant les yeux, il vit Buldeo, avec son mousquet. Les enfants avaient fait part aux villageois de la fuite éperdue des buffles et Buldeo, qui n'avait que trop envie de punir Mowgli pour ne pas s'être mieux occupé du troupeau, était sorti, furieux. Les loups avaient disparu dès qu'ils avaient vu venir l'homme.

« Qu'est-ce que cette sottise? dit Buldeo d'un ton furieux. Tu t'imagines capable de dépouiller un tigre! Où les buffles l'ont-ils tué? Et avec ça, c'est le tigre boiteux, dont la tête a été mise à prix

Ci-dessous, une carte de l'ancien empire des Indes permet de distinguer les différents types de chasse offerte à l'homme.

Le tigre ne fut pas le seul animal convoité en Inde. Ci-dessous, au nord du pays, un camp de chasseurs européens paradant avec leurs trophées : cornes de bouquetins et bois de cerfs.

pour cent roupies. C'est bon, c'est bon, on oubliera que tu as laissé échapper le troupeau et je te donnerai peut-être une roupie de la récompense quand j'aurai apporté la peau à Khanhiwara. »

Il fouilla dans son pagne, en tira un briquet à silex et se pencha pour brûler la moustache de Shere Khan. La plupart des chasseurs indigènes brûlent la moustache des tigres pour empêcher leur fantôme de les hanter.

« Hem ! fit Mowgli, à moitié pour lui-même, tout en arrachant la peau d'une patte de devant. Tu vas donc apporter la dépouille à Khanhiwara pour toucher la récompense et tu me donneras peut-être une roupie ? Mais moi j'ai idée qu'il me faut cette peau pour mon propre usage. Hé ! Le vieux ! Éloigne ce feu !

– Qu'est-ce que cette façon de parler au premier chasseur du village ? Ta bonne chance et la bêtise de tes buffles t'ont aidé à tuer ce tigre. Il venait de manger, sinon il serait à vingt milles d'ici à l'heure qu'il est. Tu n'es même pas capable de le dépouiller proprement, petit gueux, et il faut que ce soit moi, Buldeo, qui me fasse dire de ne pas lui brûler la moustache. Par exemple ! Mowgli, je ne te donnerai pas un seul *anna* de la récompense, mais seulement une énorme raclée. Laisse cette carcasse.

– Par le taureau qui m'a racheté! répliqua Mowgli, qui essayait de s'attaquer à l'épaule. Vais-je devoir passer toute la mi-journée à jaser avec un vieux singe? Ici, Akela! Cet homme m'agace. »

Buldeo, toujours penché sur la tête de Shere Khan, se retrouva soudain aplati dans l'herbe, un loup gris dressé sur lui, cependant que Mowgli continuait de dépouiller le tigre, comme s'il se fût trouvé seul dans toute l'Inde.

« Ouais, dit-il, entre les dents. Tu as parfaitement raison, Buldeo. Jamais tu ne me donneras un seul *anna* de la récompense. Il y avait une vieille querelle entre ce tigre boiteux et moi, une très vieille querelle, et… c'est moi qui ai gagné. »

Pour rendre justice à Buldeo, avec dix ans de moins il aurait risqué sa chance contre Akela, à supposer qu'il l'eût rencontré dans les bois; mais un loup obéissant aux ordres de cet enfant, qui avait lui-même des querelles personnelles avec des tigres mangeurs d'hommes, n'était pas un animal comme les autres. C'était de la sorcellerie, de la magie de la plus noire espèce, pensait Buldeo, et il se demanda si l'amulette qu'il portait au cou le protégerait. Il gisait, on ne peut plus immobile, s'attendant, chaque minute, à voir Mowgli se changer en tigre, lui aussi.

« Maharaj! Grand roi, murmura-t-il enfin d'une voix rauque.

— Oui, fit Mowgli sans tourner la tête et en poussant un petit rire.

L'écrivain irlandais Bernard Shaw écrivit : « Quand un homme tue un tigre, c'est du sport, quand un tigre tue un homme, c'est de la férocité. » Ci-dessus, à droite, une haie de peaux fièrement exhibées. Une fois arrachée, la peau est supendue et conservée, imprégnée d'essence de térébenthine et de poudre d'alumine, un oxyde d'aluminium.

Le pouvoir des Brahmanes reposait sur le monopole de la science, dont ils étaient les détenteurs. Leur personne et leurs biens étaient inviolables.

– Je suis un vieillard. Je ne pensais pas que tu fusses rien de plus qu'un petit gardien de troupeau. Puis-je me lever et partir, ou ton serviteur va-t-il me mettre en pièces ?

– Va, et que la paix soit avec toi. Seulement, une autre fois, ne touche pas à mon gibier. Lâche-le, Akela. »

Clopin-clopant, Buldeo s'éloigna en direction du village aussi vite qu'il le put, regardant derrière lui pour voir si Mowgli n'allait pas se métamorphoser en quelque chose d'effrayant. De retour, il raconta une histoire de magie, de sortilège, de sorcellerie, qui fit prendre au prêtre une mine très grave.

Mowgli poursuivit sa besogne, mais le crépuscule était presque tombé lorsque les loups et lui finirent de détacher du corps la grande peau magnifique.

« À présent cachons cela et faisons rentrer les buffles ! Aide-moi à les regrouper, Akela. »

Le troupeau se rassembla dans le crépuscule embrumé. En approchant du village, Mowgli vit des lumières, entendit sonner et retentir les conques et les cloches des temples. La moitié du village semblait l'attendre près de la porte.

« C'est parce que j'ai tué Shere Khan », se dit-il.

Mais une grêle de pierres lui siffla aux oreilles et les villageois crièrent :

« Sorcier ! Enfant de loup ! Démon de la jungle ! Fiche le camp ! Va-t'en vite d'ici, ou le prêtre va te changer de nouveau en loup. Tire, Buldeo, tire ! »

Le vieux mousquet claqua brusquement et un jeune buffle poussa un mugissement de douleur.

« Encore de la sorcellerie ! s'écrièrent les villageois. Il sait détourner les balles. Buldeo, c'est ton buffle que tu as touché.

– Mais qu'est-ce que cela veut dire ? fit Mowgli, ahuri, tandis que les pierres volaient plus dru.

– Ils ne vont pas sans ressembler à la bande, tes fameux frères, dit Akela en s'asseyant tranquillement. J'ai idée que si les balles signifient quelque chose, c'est qu'on désire te chasser.

– Loup ! Petit de loup ! Va-t'en, cria le prêtre, agitant un rameau de tulsi, la plante sacrée.

– Encore ? La dernière fois, c'était parce que j'étais un homme. Cette fois-ci, c'est parce que je suis un loup. Allons-nous-en, Akela. »

Une femme (c'était Messua) accourut jusqu'au troupeau en s'écriant :

« Oh ! Mon fils, mon fils ! Ils disent que tu es un magicien capable de se changer en bête à volonté. Je ne le crois pas, mais va-t'en, sinon ils te tueront. Buldeo dit que tu es un sorcier, mais je sais que tu as vengé la mort de Nathoo.

– Reviens, Messua ! criait la foule. Reviens, ou nous allons te lapider. »

Mowgli poussa un petit rire, bref et mauvais, car une pierre l'avait frappé à la bouche.

Scène de la vie quotidienne : une villageoise porte fruits et légumes dans un récipient posé sur sa tête.

« Retire-toi vite, Messua. C'est une de ces histoires stupides qu'ils racontent sous le figuier à la tombée de la nuit. J'ai en tout cas fait payer la vie de ton fils. Adieu. Dépêche-toi, car je vais leur renvoyer le troupeau plus promptement que je ne reçois leurs morceaux de brique. Je ne suis pas un sorcier, Messua. Adieu ! Allons, Akela, encore un effort, s'écria-t-il. Fais rentrer le troupeau. »

Les buffles étaient déjà fort impatients de regagner le village. C'est tout juste s'il fallut un cri d'Akela ; ils chargèrent et franchirent la porte en trombe, éparpillant la foule en tous sens.

« Comptez-les ! cria Mowgli, méprisant. Il se peut que j'en aie volé un. Comptez-les, car je ne les garderai plus pour vous. Adieu, enfants des hommes, et remerciez Messua si je n'entre pas dans le village avec mes loups pour vous donner la chasse d'un bout à l'autre de votre rue. »

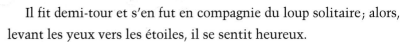

Le village s'est rassemblé en «club» à l'occasion d'une fête en l'honneur de Vishnu.

Les Brahmanes appartiennent à la caste sacerdotale, la plus élevée dans l'ordre social (ci-dessus, eau-forte de 1799).

Il fit demi-tour et s'en fut en compagnie du loup solitaire ; alors, levant les yeux vers les étoiles, il se sentit heureux.

« Plus question que je dorme dans des trappes, Akela. Prenons la peau de Shere Khan et allons-nous-en. Non, nous ne ferons pas de mal au village, car Messua a été bonne pour moi. »

Lorsque la lune se leva, donnant à toute la plaine un aspect laiteux, les villageois horrifiés virent Mowgli, deux loups sur les talons et un ballot sur la tête, mener le trot soutenu du loup, qui dévore de longues distances comme le feu. Alors ils firent retentir les cloches et sonner les conques de plus belle, tandis que Messua pleurait, et que Buldeo embellissait l'histoire de ses aventures dans la jungle, allant jusqu'à dire qu'Akela se tenait sur les pattes de derrière et parlait comme un homme.

La lune commençait à décliner lorsque Mowgli et les deux loups atteignirent la colline du rocher du Conseil. Ils s'arrêtèrent alors à la caverne de Mère louve.

« On m'a exclu de la bande des hommes, Mère, s'écria Mowgli, mais j'ai tenu parole et me voici avec la dépouille de Shere Khan. » Mère louve, suivie de ses petits, sortit de la caverne d'un pas raide et ses yeux luisirent à la vue de la peau.

« Je l'ai averti le jour où il a fourré la tête et les épaules dans la caverne, cherchant à te mettre à mort, petite grenouille, je l'ai averti que le chasseur se ferait pourchasser. Bravo !

– Petit frère, bravo ! fit une voix grave dans les fourrés. Nous nous sentions seuls dans la jungle sans toi. »

Et Bagheera accourut aux pieds nus de Mowgli. Ils gravirent ensemble le rocher du Conseil, Mowgli étendit la peau sur la pierre plate où Akela avait coutume de s'asseoir et la fixa avec quatre éclats de bambou, puis Akela se coucha dessus et lança le vieil appel au conseil « Regardez, regardez bien, ô loups ! » exactement comme il l'avait fait la première fois qu'on avait amené Mowgli au Rocher.

Depuis la déposition d'Akela, la bande était toujours restée sans chef, menant chasse et combat selon son bon plaisir. Mais, par habitude, les loups répondirent à l'appel. Quelques-uns boitaient

pour être tombés dans des trappes, d'autres traînaient une patte qui avait reçu du plomb, d'autres encore étaient galeux pour avoir pris une nourriture malsaine, et beaucoup manquaient ; mais ils vinrent tous au rocher du Conseil, tous ceux qui restaient du moins, et ils virent la dépouille rayée de Shere Khan sur le roc et les énormes griffes qui pendaient à l'extrémité des pattes vides et inertes. C'est alors que Mowgli improvisa un chant aux paroles sans rimes, qui lui vint de lui-même à la bouche et qu'il cria à tue-tête, sautillant sur la peau qui crépitait sous ses pieds et battant la mesure avec les talons jusqu'à en avoir le souffle coupé, tandis que Frère-Gris et Akela hurlaient entre les couplets.

« Regardez bien, ô loups. Ai-je tenu parole ? », demanda Mowgli quand il eut fini.

Et les loups répondirent d'un cri « Oui », et l'un d'entre eux, au pelage délabré, hurla :

« Reprends notre tête, ô Akela. Reprends notre tête, ô petit d'homme, car nous voilà bien marris de vivre ainsi sans loi et nous voudrions redevenir le peuple libre.

– Nenni, ronronna Bagheera, c'est hors de question. Lorsque vous aurez tout votre soûl vous serez peut-être repris de folie. Ce n'est pas sans raison qu'on vous nomme peuple libre. Vous avez combattu pour obtenir la liberté et vous l'avez maintenant. Nourrissez-vous-en, ô loups.

– La bande des hommes et la bande des loups m'ont exclu, dit Mowgli. Désormais, je chasserai seul dans la jungle.

– Et nous chasserons avec toi », dirent les quatre louveteaux.

C'est ainsi qu'à compter de ce jour Mowgli s'en fut chasser dans la jungle avec les quatre louveteaux. Toutefois, il ne resta pas toujours seul, car au bout de plusieurs années il devint un homme et se maria.

Mais c'est là une histoire pour les grandes personnes.

Kipling fait un portrait peu flatteur du prêtre de village, mais les prêtres n'étaient pas tous Brahmanes et bon nombre d'entre eux n'exerçaient aucune fonction sociale (ci-dessous, Brahmane prêchant).

CHANT DE MOWGLI
QUE CHANTA MOWGLI AU ROCHER DU CONSEIL
QUAND IL DANSA SUR LA DÉPOUILLE DE SHERE KHAN

Le chant de Mowgli : c'est moi, Mowgli, qui chante. Que la jungle prête l'oreille à ce que j'ai fait.

Shere Khan a dit qu'il tuerait, qu'il tuerait ! Que devant les portes du village au crépuscule il tuerait Mowgli la Grenouille !

Il a mangé et il a bu. Bois tout ton soûl, Shere Khan, car sais-tu quand tu boiras encore ? Dors et rêve de bonne chasse.

Je suis seul dans les pâturages. Frère-Gris, viens à moi ! Viens à moi, loup solitaire, car nous avons affaire à du gros gibier.

Fais avancer les grands buffles mâles, les mâles du troupeau à la peau bleue, aux yeux pleins de colère. Chasse-les de-ci de-là, selon ce que j'ordonne.

Dors-tu encore, Shere Khan ? Réveille-toi, oh ! réveille-toi. Car me voici et les mâles me suivent.

Rama, roi des buffles, a frappé du pied. Eaux de la Waingunga, où s'en est allé Shere Khan ?

Il n'est pas Ikki, pour savoir creuser des trous, ni Mao le Paon, pour savoir voler. Il n'est pas Mang la Chauve-souris, pour savoir se suspendre aux branches. Petits bambous qui bruissez de concert, dites-moi, où s'est-il enfui ?

Ow ! Le voilà. Ahoo ! Le voilà. Sous les pieds de Rama gît le boiteux. Lève-toi, Shere Khan ! Lève-toi et tue ! Voici de la chair ; brise le cou de ces mâles !

Chut ! Il dort. Nous ne l'éveillerons point, car immense est sa force. Les milans sont descendus la voir. Les fourmis noires sont venues la reconnaître. Un grand rassemblement se tient en son honneur.

66 Prête-moi ton manteau, Shere Khan. Prête-moi ton beau manteau rayé, que je puisse me rendre au rocher du Conseil. **99**

Alala! Je n'ai pas de pagne à me ceindre autour des reins. Les milans verront que je suis nu. J'ai honte devant tout le monde.

Prête-moi ton manteau, Shere Khan. Prête-moi ton beau manteau rayé, que je puisse me rendre au rocher du Conseil.

Par le taureau qui m'a racheté, j'ai fait une promesse, une petite promesse. Ton manteau seul me manque pour que je tienne parole.

Couteau en main, le couteau dont se servent les hommes, couteau du chasseur, de l'homme, je vais me baisser pour prendre mon dû.

Eaux de la Waingunga, soyez témoins que Shere Khan m'a donné son manteau pour l'amour qu'il me porte. Tire, Frère-Gris! Tire, Akela! Lourde est la peau de Shere Khan.

La bande des hommes fulmine. Ils jettent des pierres et tiennent des propos d'enfants. J'ai la bouche en sang. Sauvons-nous.

Dans la nuit, la nuit chaude, courez vite avec moi, mes frères. Quittons les lumières du village, allons vers la lune à l'horizon.

Pour échapper au fusil de l'homme, le tigre se dérobe progressivement; très retiré, il chasse rarement le jour, préférant la vie nocturne. Il faut aujourd'hui pénétrer de plus en plus profond dans la jungle pour vérifier l'existence du tigre.

Eaux de la Waingunga, la bande des hommes m'a rejeté. Je ne leur faisais aucun mal, mais ils ont eu peur de moi. Pourquoi?

Bande des loups, vous m'avez rejeté, vous aussi. La jungle m'est fermée et les portes du village sont closes. Pourquoi?

Comme vole Mang, entre bête et oiseau,
de même je vole entre village et jungle. Pourquoi?

Je danse sur la peau de Shere Khan, mais j'ai le cœur très gros. Les pierres du village m'ont taillardé et meurtri la bouche, mais j'ai le cœur très léger d'être de retour dans la jungle. Pourquoi?

Ces deux choses en moi s'affrontent,
comme s'affrontent serpents au printemps.

De l'eau me vient aux yeux et pourtant je ris tandis qu'elle tombe. Pourquoi?

Deux Mowgli sont en moi, mais j'ai la peau de Shere Khan sous les pieds.

Toute la jungle sait que j'ai tué Shere Khan. Regardez, regardez bien, ô loups!

Ahae! J'ai le cœur gros des choses que je ne comprends pas.

LE PHOQUE BLANC

Dors, l'enfant, dors, derrière nous tombe le soir,
Et noires sont les eaux qui scintillaient si vertes.
La lune par-dessus les flots cherche à nous voir
Au repos dans les creux bruissant entre deux crêtes.
Les plis de l'onde font un coussin moelleux ;
Tu es las, blottis-toi, petit poupon nageur !
Que tempête ne t'éveille ni requin ne t'enlève,
Endormi dans les bras de l'océan berceur.

Berceuse phoque

66 … Les vagues
déferlantes, […]
le basalte des
nurseries poli
par les
frottements… **99**

L'otarie laisse voir son oreille. Ses pattes de derrière se replient.

Le phoque n'a pas de pavillon auditif. Ses membres postérieurs restent dirigés vers l'arrière. Sea-Catch, tel qu'il est décrit par Kipling, est en fait une otarie à fourrure et non un phoque.

Cette espèce d'otaries portant fourrure ne hante que l'hémisphère Sud.

Tandis que ce phoque, dit « veau-marin », préfère les eaux de l'Atlantique Nord.

Tout ce que je vais vous raconter ici s'est produit, il y a plusieurs années, en un lieu appelé Novastoshnah, ou Pointe du Nord-Est, dans l'île Saint-Paul, loin, très loin dans la mer de Behring. C'est Limmershin, le troglodyte mignon, qui m'a raconté cette histoire. Il avait été jeté par le vent dans le gréement d'un vapeur en route pour le Japon, et je l'avais descendu dans ma cabine, réchauffé et nourri pendant deux jours, jusqu'à ce qu'il fût en état de retourner à Saint-Paul. Limmershin est certes un drôle de petit oiseau, mais il sait dire la vérité.

Nul ne vient à Novastoshnah que pour affaires, et seuls y ont régulièrement affaire les phoques. Ils y abordent pendant les mois d'été, par centaines et centaines de mille, émergeant de la mer grise et froide; car la plage de Novastoshnah est, de tous les lieux de la terre, celui qui offre le plus de commodités aux phoques.

Sea-Catch le savait. Aussi tous les printemps, où qu'il se trouvât, partait-il à la nage, fonçant comme un torpilleur droit sur Novastoshnah, où il passait un mois à se disputer avec ses camarades une bonne place dans les rochers, aussi près que possible de la mer. Sea-Catch avait quinze ans; c'était une énorme otarie qui portait presque une crinière sur les épaules et avait de longues canines à l'air féroce. Lorsqu'il se soulevait sur les nageoires de devant, il y avait plus de quatre pieds entre le sol et lui, et son poids, s'il s'était trouvé quelqu'un d'assez téméraire pour le peser, aurait atteint près de sept cents livres. Il avait le corps tout couturé de cicatrices, témoins de batailles furieuses, mais il était toujours prêt à livrer encore une dernière bataille. Il tournait la tête de côté, comme s'il avait peur de regarder l'ennemi en face; puis il la projetait en avant, prompt comme l'éclair et, quand ses grosses dents étaient solidement plantées dans la nuque de l'adversaire, celui-ci pouvait bien se sauver, s'il en était capable, mais ce n'était pas Sea-Catch qui allait l'y aider.

Pourtant Sea-Catch ne poursuivait jamais un phoque vaincu, car c'était contraire aux lois de la plage. Tout ce qu'il voulait, c'était une place près de la mer pour y établir sa nursery; mais comme il y avait quarante ou cinquante mille autres phoques en quête d'une telle place chaque printemps, tous en train de siffler, mugir, rugir et souffler, le vacarme, sur la plage, était quelque chose d'effrayant.

D'une éminence appelée Hutchinson's Hill, on découvrait trois milles et demi de grève couverte de phoques en train de se battre ; et le flot écumeux était parsemé de têtes de phoques pressés de toucher terre pour prendre part au combat. Ils se battaient dans les vagues déferlantes, ils se battaient sur le sable, ils se battaient sur le basalte des nurseries poli par les frottements ; car ils étaient tout aussi stupides et intransigeants que les hommes. Leurs épouses n'arrivaient jamais dans l'île avant la fin du mois de mai ou le début de juin, car elles ne tenaient pas à se faire mettre en pièces ; et les jeunes mâles de deux, trois ou quatre ans, qui n'avaient pas encore fondé de famille, franchissaient par cohortes et légions les rangs des combattants pour pénétrer d'un demi-mille environ à l'intérieur de l'île et y jouer dans les dunes, effaçant sous eux jusqu'à la dernière trace de verdure. On les appelait *holluschickie* et Novastoshnah à elle seule en comptait peut-être deux ou trois cent mille.

Un beau printemps, alors que Sea-Catch venait d'achever son quarante-cinquième combat, Matkah, sa tendre épouse au pelage lustré et aux yeux caressants, sortit de la mer. Il la saisit par la peau du cou, la déposa sans douceur sur son emplacement réservé et dit d'un ton bourru :

« En retard, comme d'habitude. Où as-tu bien pu aller ? »

Sea-Catch avait coutume de ne rien manger pendant les quatre mois qu'il passait sur les plages ; aussi était-il en général de mauvaise humeur. Matkah se garda de répliquer. Elle jeta un coup d'œil alentour et roucoula :

« Comme tu es prévenant ! Tu as donc repris notre ancienne place ?

– Il semblerait que oui, en effet, rétorqua Sea-Catch. Regarde-moi un peu ! »

La toison des otaries à fourrure s'enrichit d'une crinière, d'où le surnom de « lion de Patagonie » (à gauche). Les otaries restent le plus souvent dans l'eau, leur épais pelage leur procurant trop de chaleur à terre. À droite, un mâle adulte de la mer de Behring, dont le pelage semble presque noir à l'état humide.

Les îles Pribilof et du Commandeur sont situées entre le détroit de Behring et les îles Aléoutiennes, très au large à l'ouest de l'Alaska. L'île Saint-Paul, où se déroule le récit du *Phoque blanc*, fait partie des Pribilof. Ces îles offrent à l'espèce d'otaries portant ce nom ses seuls territoires de reproduction connus. Dans leur période voyageuse, la plus longue, ces otaries des Pribilof se répartissent largement à travers le Pacifique, allant, pour certaines, jusque dans les eaux japonaises.

66 Sea Catch... saignait par une vingtaine d'écorchures, il était presque borgne et avait les flancs en lambeaux. 99

Il saignait par une vingtaine d'écorchures, il était presque borgne et avait les flancs en lambeaux.

« Oh! vous autres les hommes! les hommes! s'écria Matkah en s'éventant de sa nageoire caudale. Vous ne pouvez donc pas être raisonnables et vous répartir les places paisiblement? On dirait que tu t'es battu avec l'orque.

– Je n'ai strictement rien fait d'autre que de me battre depuis la mi-mai. La plage est scandaleusement surpeuplée, cette saison. J'ai rencontré une bonne centaine de phoques de la plage de Lukannon, en quête d'un gîte. Pourquoi les gens ne restent-ils pas chez eux?

– J'ai souvent pensé que nous serions beaucoup plus heureux si nous descendions sur l'île des Loutres, plutôt qu'en cet endroit encombré, dit Matkah.

– Bah! Seuls les *holluschickie* vont dans l'île des Loutres. Si nous y allions, les autres diraient que nous avons peur. Nous devons veiller aux apparences, ma chère. »

Sea-Catch enfonça fièrement la tête entre ses grasses épaules et feignit de dormir pendant quelques minutes, sans cesser un instant d'être sur le qui-vive, prêt à se battre. Maintenant que tous les phoques et leurs épouses étaient à terre, leur clameur s'entendait à des milles au large, par-dessus les coups de vent les plus bruyants. Ils étaient au bas mot un bon million sur la plage, phoques d'âge mûr, mères de famille, minuscules bébés et *holluschickie*, à se battre et se bousculer, à bêler, ramper et jouer ensemble, à se mettre à l'eau et en ressortir, par compagnies et bataillons, couvrant jusqu'au dernier pouce de terrain à perte de vue, et livrant par brigades entières des escarmouches dans le brouillard. Il y a presque toujours du brouillard à Novastoshnah, sauf lorsque le soleil perce et donne à toutes choses, l'espace d'un moment, le reflet de la nacre et les couleurs de l'arc-en-ciel.

Kotick, le bébé de Matkah, naquit au milieu de cette confusion. Ce n'était que deux épaules et une tête avec des yeux pâles, d'un bleu délavé, comme le sont toujours les tout petits phoques ; mais son pelage avait quelque chose qui incita sa mère à l'examiner attentivement.

Les animaux pinnipèdes (ayant des pieds en forme de nageoires) comptent, parmi leurs prédateurs, les orques épaulards, qui sont de très grands dauphins noirs et blancs (ci-dessus).

« Sea-Catch, dit-elle enfin, notre bébé va être blanc !

– Palourdes vides et goémons secs ! s'exclama Sea-Catch, furieux. Un phoque blanc, ça ne s'est encore jamais vu !

– Je n'y peux rien, répondit Matkah. On en verra un désormais. »

Et elle se mit à chanter la chanson phoque, douce et grave, que toutes les mères phoques chantent à leurs bébés :

66 « Sea Catch, dit-elle enfin, notre bébé va être blanc ! » 99

> Si pour nager tu n'attends six semaines,
> Tu couleras, nez plus lourd que talons.
> Les coups de vent d'été, l'orque cruelle,
> Sont ennemis de nos poupons.
>
> Ennemis de nos poupons, petit rat,
> Plus que quiconque malfaisants ;
> Patauge donc et deviens vigoureux :

Les otaries des îles Pribilof ont subi longtemps d'effroyables massacres. De sévères mesures de sauvegarde, prises au début du XXᵉ siècle, ont finalement conjuré leur extinction.

Les plus proches bâtiments construits sur l'une de ces îles l'ont été pour abriter les peaux d'otaries tuées, chaque année, pendant les cinq premières semaines d'été.

Pour toi ce choix ne peut être qu'heureux,
Fils des grands océans.

Bien sûr, le petit bonhomme ne comprit pas tout de suite les paroles. Il barbotait et se traînait aux côtés de sa mère, et il apprit à décamper lorsque son père se battait avec un autre phoque et que les deux adversaires, avec force rugissements, roulaient sur les rochers glissants. Matkah allait en mer chercher de quoi manger. Le bébé ne recevait de nourriture qu'une fois tous les deux jours ; mais alors il mangeait tout son soûl et cela lui profitait.

La première chose qu'il fit, ce fut de ramper vers l'intérieur de l'île ; là, il se joignit à des dizaines de milliers de bébés de son âge, qui jouaient tous ensemble comme des chiots, s'endormaient sur le sable propre et se remettaient à jouer. Les parents, dans les nurseries, ne leur prêtaient nulle attention et les *holluschickie* se cantonnaient dans leur propre territoire. Ainsi les bébés pouvaient-ils s'en donner à cœur joie.

Lorsque Matkah revenait de sa pêche en haute mer, elle allait droit à leur terrain de jeu, appelait comme une brebis appelle son agneau et attendait jusqu'à ce que le bêlement de Kotick se fît entendre. Alors elle allait à lui selon la plus rectiligne des lignes droites, distribuant des coups de ses nageoires de devant et culbutant les jeunes, à droite et à gauche. Il y avait toujours quelques centaines de mères à la recherche de leurs enfants sur les terrains de jeux et les bébés se faisaient copieusement bousculer ; mais, comme Matkah l'avait dit à Kotick, «Tant que tu ne t'allonges pas dans de l'eau boueuse pour y attraper la gale, que tu ne fais pas entrer de sable dur dans une plaie ou une égratignure et tant que tu ne t'en vas pas nager par grosse mer, tu ne risques rien ici.»

Les petits phoques ne savent pas mieux nager que les petits enfants; mais ils sont malheureux aussi longtemps qu'ils n'ont pas appris. La première fois que Kotick se mit à l'eau, une vague l'emporta où il n'avait pas pied, sa grosse tête s'enfonça et ses petites nageoires caudales se dressèrent en l'air, exactement comme sa mère le lui avait dit dans la chanson, et si la vague suivante ne l'avait projeté à terre, il se serait noyé.

Après cela, il apprit à rester étendu dans une flaque d'eau sur la plage, à se laisser tout juste recouvrir et soulever par le remous des vagues tout en barbotant; mais il surveillait toujours d'un œil les grosses lames qui pouvaient le blesser. Il lui fallut deux semaines pour apprendre à se servir de ses nageoires; deux semaines à se jeter gauchement à l'eau et à en ressortir, à tousser, grogner, ramper sur la plage, à faire la sieste sur le sable, puis à retourner dans l'eau, jusqu'au jour où il finit par s'apercevoir que celle-ci était son véritable élément.

Ces phoques répartis dans l'océan, comme tous les pinnipèdes, sont de plus en plus exposés à un nouveau danger : les grands filets maillants dérivants de la pêche moderne les emprisonnent; ils se noient ensuite au milieu des masses de poissons capturés.

Vous imaginez alors les bons moments qu'il passa avec ses camarades, à plonger sous les rouleaux ou à chevaucher la crête d'une lame pour atterrir, dans un crépitement d'eau et d'écume, tandis que la grosse vague montait en tourbillonnant jusqu'en haut de la plage; à se tenir droit sur la queue tout en se grattant la tête comme faisaient les grandes personnes, ou, encore, à jouer au roi du château sur les rochers couverts d'algues glissantes, qui émergeaient à peine des flots. De temps à autre il voyait une nageoire effilée, pareille à celle d'un gros requin, dériver tout près du rivage; il savait que c'était l'orque, l'épaulard, qui dévore les petits phoques quand il peut les attraper; alors Kotick piquait droit sur la plage, comme une flèche, et la nageoire s'écartait lentement, par saccades, comme si nulle intention ne l'animait.

À la fin d'octobre les phoques commencèrent à quitter l'île Saint-Paul pour la haute mer, par familles et par tribus; on ne se battit plus pour la possession des nurseries, et les *holluschickie* purent jouer où bon leur semblait.

« L'an prochain, dit Matkah à Kotick, tu seras un *holluschickie*. Mais cette année, il faut que tu apprennes à prendre le poisson. »

Ils se lancèrent ensemble à travers le Pacifique et Matkah montra à Kotick comment dormir sur le dos, les nageoires repliées de côté et son petit nez à ras de l'eau. Aucun berceau n'offre autant de confort que le balancement de la longue houle du Pacifique. Lorsque Kotick sentit sa peau lui fourmiller sur tout le corps, Matkah lui dit qu'il apprenait à sentir l'eau, que les sensations de fourmillement et de picotement annonçaient le mauvais temps et qu'il devait se mettre à nager ferme pour y échapper.

«Bientôt, dit-elle, tu sauras où aller, mais pour cette fois nous allons suivre Cochon-de-Mer le marsouin, car il est très avisé.»

Une bande de marsouins passait, plongeant et fendant l'eau à toute vitesse, et le petit Kotick les suivit aussi rapidement qu'il put. «Comment savez-vous où aller?» demanda-t-il, haletant.

Le chef des marsouins fit rouler ses yeux blancs et plongea.

«J'ai des fourmillements dans la queue, mon petit, répondit-il. Cela signifie qu'il y a une tempête derrière moi. Viens vite! Une fois au sud de l'Eau visqueuse (il voulait dire l'équateur), si la queue te fourmille, cela voudra dire qu'il y a une tempête devant toi et que tu dois faire route

" Une bande de marsouins passait, plongeant et fendant l'eau à toute vitesse... "

vers le nord. Viens vite! L'eau est mauvaise au contact par ici. »

Ce n'est là qu'une des très nombreuses choses qu'apprit Kotick, qui ne cessait d'apprendre. Matkah lui enseigna à suivre la morue et le flétan sur les bancs sous-marins; à extirper la motelle de son trou parmi les algues; à longer les épaves gisant par cent brasses, à s'y enfiler par un hublot et en ressortir par un autre, prompt comme une balle de fusil, à la poursuite des poissons; à danser sur la crête des vagues lorsque le ciel est tout zébré d'éclairs; à saluer poliment de la nageoire l'albatros à queue courte et la frégate quand ils passent à vau-vent; à faire des bonds de deux ou trois pieds au-dessus de l'eau, comme un dauphin, les nageoires collées aux côtés et la queue recourbée; à ne pas toucher au poisson-volant, qui est tout en arêtes; à arracher l'épaule d'une morue en pleine course, par dix brasses d'eau, et à ne jamais s'arrêter pour regarder un bateau ou un navire, surtout une embarcation à rames. Au bout de six mois, ce que Kotick ignorait encore de la pêche en haute mer ne valait pas la peine d'être su et, durant tout ce temps, il ne posa pas une fois les nageoires sur la terre ferme.

Les pinnipèdes qui, dans les deux hémisphères, se hissent sur des abords rocheux, rencontrent diverses espèces d'oiseaux que leur présence fait rarement fuir. Beaucoup sont des pélagiques (adjectif dérivé du grec *pelagos* : haute mer). Le plein océan est leur seul domaine entre deux saisons de reproduction: albatros, pétrels. Les cormorans au long cou sont bien moins aventureux. D'autres, comme les blancs chionis sur îles froides des mers australes, retrouvent les manchots, grands voyageurs des solitudes marines, quand ceux-ci renouent, pour reproduire, avec une vie terrestre toujours provisoire.

Un beau jour cependant, alors qu'il dormait à moitié, allongé dans l'eau tiède quelque part au large des îles Juan Fernández, il sentit un malaise et la paresse l'envahir, tout comme les humains lorsqu'ils ont le printemps dans les jambes, et il se rappela les bonnes plages de sable ferme de Novastoshna à sept mille milles de là, les jeux de ses compagnons, l'odeur des algues, les rugissements des phoques et leurs batailles. À la minute même il mit le cap au nord, nageant sans répit, et en route il rencontra des dizaines de camarades qui se rendaient tous au même endroit et qui lui dirent :

« Salut, Kotick! Cette année nous sommes tous *holluschickie* : nous allons danser la danse du feu dans les vagues déferlantes de Lukannon et jouer sur l'herbe nouvelle. Mais où as-tu trouvé cette fourrure ? »

Le pelage de Kotick était maintenant d'un blanc presque immaculé mais, bien qu'il en fût très fier, il se contenta de répondre : « Nagez vite ! Mes os brûlent de retrouver la terre ferme. » C'est ainsi qu'ils atteignirent les plages où ils étaient nés et entendirent les vieux phoques, leurs pères, qui se battaient dans les nappes mouvantes de brouillard.

Cette nuit-là Kotick dansa la danse du feu avec les jeunes d'un an. La mer est couverte de feu par les nuits d'été, de Novastoshnah à Lukannon. Chaque phoque laisse derrière lui un sillage pareil à de l'huile qui brûle et une lueur fulgurante lorsqu'il saute, tandis que les vagues se brisent en longues traînées et tourbillons phosphorescents. Puis Kotick et ses camarades gagnèrent le territoire des *holluschickie*, à l'intérieur des terres, se roulèrent en tous sens dans le jeune blé sauvage et se contèrent ce qu'ils avaient fait quand ils étaient en mer. Ils parlaient du Pacifique comme des enfants parleraient d'un bois où ils ont cueilli des noisettes et, s'il s'était trouvé quelqu'un pour les comprendre, il aurait pu, rentré chez lui, dresser une carte de cet océan telle qu'il n'en fut jamais. Les *holluschickie* de trois et quatre ans dévalèrent à grand bruit de Hutchinson's Hill en s'écriant : « Ôtez-vous de là, les mioches ! La mer est profonde et vous ne savez pas encore tout ce qu'elle recèle. Attendez d'avoir

Quand elles se dirigent vers le sud californien ou nippon, les otaries à fourrure des Pribilof – au surnom d'ours marins – longent les îles Aléoutiennes où l'habitat originel était constitué de grandes cabanes de bois élaborées avec des moyens rudimentaires.

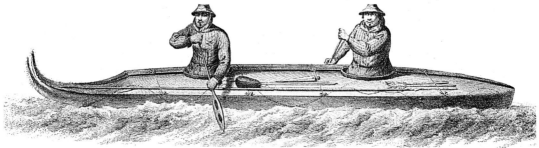

Ainsi naviguait-on alors en Alaska. Une bonne part de la subsistance était tirée de la chasse aux pinnipèdes que les habitants guettaient de leurs embarcations.

franchi le cap Horn. Hé ! Toi, le petit d'un an, où as-tu trouvé cette fourrure blanche ?

– Je ne l'ai pas trouvée, répondit Kotick ; elle est venue toute seule. »

Et au moment même où il allait culbuter celui qui venait de parler, deux hommes aux cheveux noirs, au visage plat et rouge, sortirent de derrière une dune, et Kotick, qui n'avait jamais encore vu d'homme, toussa et baissa la tête. Les *holluschickie* se contentèrent de reculer précipitamment de quelques coudées et s'immobilisèrent, dardant des regards stupides. Il s'agissait de rien moins que Kerick Booterin, chef des chasseurs de phoques de l'île, et Patalamon, son fils. Ils venaient du petit village situé à moins d'un demi-mille des nurseries et choisissaient les bêtes à mener aux enclos d'abattage (car les phoques se laissent mener comme des moutons) pour en faire ensuite des vestes en peau.

« Oh! fit Patalamon. Regarde! Un phoque blanc! »

Kerick Booterin devint presque blanc sous l'huile et les traces de fumée qui lui couvraient la peau, car c'était un Aléoute, et les Aléoutes ne sont pas des gens propres. Puis il se mit à marmonner une prière.

« Ne le touche pas, Patalamon. On n'a jamais vu de phoque blanc depuis… depuis que je suis né. C'est peut-être le fantôme du vieux Zaharrof. Il a disparu l'an dernier dans la grande tempête.

– Je ne l'approcherai pas, dit Patalamon. Il porte malheur.

Les vêtements de peau convenaient mieux aux autochtones confrontés à de très dures conditions de vie et à de longs hivers rigoureux.

111

Au début du XIXᵉ siècle, le village aléoutien actuel d'Alaska s'appelait Oluluk et se résumait à quatre maisons de bois et trente huttes en gazon. Il fut peint par le voyageur et peintre Louis Choris.

Depuis le début du XIXᵉ siècle, la chasse aux mammifères marins pinnipèdes s'est amplifiée à des fins commerciales, avec les débarquements de tueurs déchaînés.

Crois-tu vraiment que c'est le revenant du vieux Zaharoff ? Je lui dois des œufs de goélands.

— Ne le regarde pas, dit Kerick. Rabats ce troupeau de jeunes de quatre ans. Les hommes devraient en dépouiller deux cents aujourd'hui, mais c'est le début de la saison et ils sont nouveaux à la besogne. Une centaine fera l'affaire. Vite ! »

Patalamon fit claquer une paire d'omoplates de phoque devant une troupe de *holluschickie* et ceux-ci s'arrêtèrent net, haletants. Puis il s'approcha ; les phoques se mirent en branle, Kerick leur fit prendre la direction de l'intérieur, et pas un moment ils n'essayèrent de rejoindre leurs compagnons. Des centaines et des centaines de milliers de phoques les virent emmener, mais ils continuèrent de jouer comme si de rien n'était. Kotick fut le seul à poser des questions, mais aucun de ses compagnons ne put lui donner le moindre renseignement, sauf que les hommes emmenaient toujours des phoques de cette façon, pendant une période de six semaines ou deux mois chaque année.

« Je vais les suivre », dit-il.

Et il partit de sa démarche traînante derrière la troupe, les yeux lui sortant presque de la tête…

« Le phoque blanc est après nous, s'écria Patalamon. C'est vraiment la première fois qu'un phoque vient de lui-même à l'aire d'abattage.

— Chut ! Ne regarde pas derrière toi, dit Kerick. C'est bien le fantôme de Zaharrof ! Il faut que j'en parle au prêtre. »

La distance jusqu'à l'aire d'abattage n'était que d'un demi-mille, mais il fallut une heure pour la couvrir, car Kerick savait que si les phoques allaient trop vite, ils s'échaufferaient et leur peau se détacherait en lambeaux quand on les dépouillerait. Très lentement, donc, ils franchirent le goulet du Lion-de-Mer, passèrent devant Webster House, et arrivèrent enfin au hangar à salaison, juste hors de vue des phoques de la plage. Kotick suivait, essoufflé et perplexe. Il se croyait au bout du monde, mais les nurseries, derrière lui, faisaient autant de vacarme qu'un train dans un tunnel. Alors Kerick s'assit sur la mousse, tira de sa poche une grosse montre en étain et attendit une demi-heure pour que le troupeau soit rafraîchi. Kotick entendait les gouttelettes de brouillard tomber du bord de sa casquette. Puis dix ou douze hommes, armés chacun d'une massue ferrée de trois ou quatre pieds de long, s'avancèrent et Kerick leur désigna une ou deux bêtes que leurs compagnons avaient mordues ou qui s'étaient trop échauffées. Les hommes, chaussés de lourdes bottes en peau de gorge de morse, les écartèrent à coups de pied. Alors Kerick ordonna « Allez-y ! » et les hommes assommèrent les phoques aussi vite qu'ils le purent.

Dix minutes après, le petit Kotick ne reconnaissait plus ses amis, car leurs peaux, détachées du museau aux nageoires posté-rieures et arrachées d'un coup sec, s'entassaient sur le sol.

C'en était assez pour Kotick. Il fit demi-tour et retourna au galop (un phoque peut prendre un galop très rapide pendant un petit moment)

Selon les gibiers visés, ces harpons diffèrent : de gauche à droite, trois harpons à oiseaux, un propulseur et une lance. Ce sont des armes réclamant adresse et précision dans leur emploi, ce qui vaut infiniment mieux que certains carnages commis par des exécuteurs assommant indistinctement toutes les bêtes présentes sur ces glaces.

Avant 1870, phoques et morses faisaient partie de l'écosystème des Esquimaux. Les fourrures servaient de vêtements et de toiles de tente, la chair permettait de varier les menus de poissons, les défenses des morses (en bas à droite) étaient utilisées comme outils. La graisse surtout était essentielle pour ses vertus combustibles, permettant de cuire, de chauffer et d'éclairer les tentes esquimaux. Mais le dernier tiers du XIXᵉ siècle vit se développer un immense trafic de peaux et de fourrures, qui attira par centaines les chasseurs indépendants, notamment en Alaska. Alors que la chasse se faisait traditionnellement au harpon et nécessitait ruse et adresse (en haut à gauche), le fusil et les pièges en pleine mer (en haut à droite) permirent des massacres de plus en plus systématiques. Près de 4 millions de phoques à fourrure furent ainsi exécutés sans retenue, jusqu'à ce qu'un traité de 1911 vienne interdire ces tueries.

vers la mer, sa petite moustache naissante hérissée d'horreur. Au goulet du Lion-de-Mer, où les énormes lions de mer se tiennent à la lisière du ressac, il se jeta, nageoire par-dessus tête, dans l'eau fraîche et, là, se laissa bercer, suffoquant lamentablement.

« Qu'est-ce que c'est ? fit un lion de mer d'un ton bourru, car en général les lions de mer préfèrent rester entre eux.

– *Scoochnie ! Ochen scoochnie !* répondit Kotick. On est en train de tuer tous les *holluschickie,* sans exception, sur toutes les plages ! »

Le lion de mer tourna la tête vers le rivage.

« Sornettes ! dit-il. Tes amis font toujours autant de bruit. Tu auras vu le vieux Kerick régler son compte à un troupeau. Il fait cela depuis trente ans.

– C'est affreux », répliqua Kotick.

Et là-dessus, comme une vague le submergeait, il partit à reculons et reprit son aplomb d'un coup de ses nageoires qui, agissant comme une hélice, l'amena en position verticale à moins de trois pouces du bord déchiqueté d'un récif.

« Pas mal, pour un petit d'un an ! dit le lion de mer, qui savait reconnaître un bon nageur. J'imagine que c'est en effet assez atroce de ton point de vue ; mais puisque vous autres les phoques persistez à revenir ici chaque année, les hommes, naturellement, finissent par le savoir et, à moins que vous ne trouviez une île où nul d'entre eux ne va jamais, ils continueront de vous emmener de la sorte.

– Une telle île n'existe-t-elle pas ? reprit Kotick.

– Je suis le *poltoos* depuis vingt ans et j'avoue que je ne l'ai pas encore trouvée. Mais écoute-moi… J'ai l'impression que tu aimes à t'adresser à tes supérieurs ; pourquoi n'irais-tu pas à l'îlot des Morses pour parler à Sea-Vitch. Peut-être sait-il quelque chose. Ne t'emballe pas comme ça ! C'est une traversée de six milles et, à ta place, je commencerais par aller à terre faire un somme, petit. »

Kotick trouva que c'était là un bon conseil. Il regagna donc sa plage par la mer, alla à terre et dormit une demi-heure, le corps parcouru de mouvements convulsifs, comme c'est toujours le cas chez les phoques. Puis il mit le cap droit sur l'îlot des Morses, qui

Les lions de mer (ci-dessus) ont un museau plus large que celui des otaries de Californie. Les différences de poids entre mâle et femelle sont énormes. L'otarie de sexe féminin pèse environ 300 kilos ; le sujet de sexe masculin près d'une tonne.

est une plate-forme rocheuse, basse et de faible étendue, presque exactement au nord-est de Novastoshnah, tout en corniches et en nids de goélands, où les morses se rassemblent à part.

Il atterrit tout près du vieux Sea-Vitch, le gros vilain morse du Pacifique nord, bouffi, pustuleux, au cou gras et aux longues défenses, et qui n'a aucun savoir-vivre, sauf lorsqu'il dort, ce qui était présentement le cas, les nageoires postérieures à moitié immergées dans le ressac.

« Réveille-toi, rugit Kotick, car les goélands faisaient beaucoup de bruit.

– Ah ! Oh ! Omph ! Qu'est-ce que c'est ? fit Sea-Vitch, qui, d'un coup de ses défenses, réveilla son voisin, lequel frappa le sien et ainsi de suite, jusqu'à ce que tous les morses fussent éveillés, écarquillant les yeux dans toutes les directions, sauf la bonne.

– Hé ! C'est moi », répondit Kotick, que le ressac ballottait et qui avait l'air d'une petite limace blanche.

– Ma parole ! Que l'on… m'écorche ! », dit Sea-Vitch.

Et tous les morses regardèrent Kotick, comme vous pouvez imaginer qu'un club de vieux messieurs somnolents regarderait un petit garçon. Kotick n'avait alors aucune envie qu'on lui parlât encore d'être écorché.

Il en avait assez vu.

Aussi lança-t-il :

66 Il atterrit près du vieux Sea Vitch, le gros vilain morse du Pacifique nord, bouffi, pustuleux, au cou gras et aux longues défenses… 99

117

Les Esquimaux, eux, n'ont chassé le morse que pour pourvoir à leurs besoins. Les dents saillant d'une gueule de morse sont des canines ; elles s'allongent durant toute la vie jusqu'à mesurer près d'un mètre. Elles sont en ivoire, d'où le commerce qui les entoure.

Les laridés (mouettes et goélands) profitent des restes de dépeçages comme ils le font dans

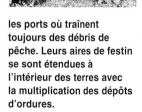

les ports où traînent toujours des débris de pêche. Leurs aires de festin se sont étendues à l'intérieur des terres avec la multiplication des dépôts d'ordures.

« N'y a-t-il pas d'endroit où puissent aller les phoques et où les hommes ne viennent jamais ?

– À toi de le découvrir, répondit Sea-Vitch en fermant les yeux. Va-t'en. Nous avons à faire, nous autres. »

Kotick fit son bond de dauphin et cria de toutes ses forces :

« Mangeur de palourdes ! Mangeur de palourdes ! »

Il savait que Sea-Vitch n'avait jamais pris le moindre poisson de sa vie, mais qu'il fouillait toujours le fond à la recherche de palourdes et d'algues, bien qu'il se donnât pour un très redoutable personnage. Bien entendu les *chickies,* les *gooverooskies* et les *epatkas,* les goélands bourgmestres, les mouettes tridactyles et les macareux, toujours à l'affût d'une bonne occasion d'être impolis, reprirent son cri et (à ce que me dit Limmershin) pendant près de cinq minutes on n'aurait pas pu entendre un coup de canon dans l'îlot des Morses. Toute sa population hurlait et piaillait « Mangeur de palourdes ! *Stareek !* » tandis que Sea-Vitch se roulait d'un flanc sur l'autre, grognant et toussant.

« Alors, vas-tu me le dire maintenant ? dit Kotick, tout essoufflé.

– Va le demander à Vache-Marine, répondit Sea-Vitch. Si elle est encore en vie, elle pourra te le dire.

– À quoi reconnaîtrai-je Vache-Marine quand je la rencontrerai ? demanda Kotick, prenant le large.

– C'est la seule créature marine qui soit plus laide que Sea-

Vitch, cria un goéland bourgmestre venu tournoyer sous le nez de Sea-Vitch. Plus laide et plus malapprise ! *Stareek !* »

Kotick s'en retourna à Novastoshnah, laissant les goélands à leurs cris. Là, il s'aperçut que ses modestes efforts pour découvrir un endroit où les phoques auraient la paix ne lui valaient aucune sympathie.

On lui dit que les hommes avaient toujours emmené les *holluschickie,* que cela faisait partie de la routine quotidienne et que, puisqu'il n'aimait pas voir de vilains spectacles, il n'aurait pas dû se rendre à l'aire d'abattage. Mais aucun des autres phoques n'avait assisté à l'abattage et cela faisait toute la différence entre lui et ses amis. En outre, Kotick était un phoque blanc.

L'étalement étrange de son crâne vaut à ce squale de 200 kilos et d'une longueur de 3 mètres ou plus, dévoreur de thons, de maquereaux et de raies, son appellation de requin-marteau.

« Ce qu'il te faut faire, dit le vieux Sea-Catch lorsqu'il eut entendu les aventures de son fils, c'est grandir, devenir un gros phoque comme ton père et fonder une nursery sur la plage. Alors on te laissera tranquille. D'ici cinq ans tu devrais être capable de te battre pour ton compte. »

Même la douce Matkah, sa mère, lui dit :

« Tu ne pourras jamais arrêter le massacre. Va jouer dans la mer, Kotick. »

Et Kotick s'en alla danser la danse du feu, son petit cœur bien gros.

Cet automne-là il quitta la plage dès qu'il le put et partit seul, à cause d'une idée qu'il avait dans sa tête obstinée. Il se promettait de trouver Vache-Marine, si tant est qu'un tel personnage habitât les mers, et de trouver une île paisible avec de bonnes plages de sable ferme, où les phoques pourraient vivre sans être inquiétés par les hommes. Il explora donc, et il explora tout seul, le Pacifique du nord au sud, nageant jusqu'à trois cents milles en un jour et une nuit. Il connut plus d'aventures qu'on en peut conter, échappa de justesse au requin pèlerin, au requin moucheté, au requin marteau ; il rencontra tous les perfides brigands qui rôdent à travers les mers, les gros poissons courtois, les coquilles Saint-Jacques tachetées d'écarlate, qui restent accrochées des centaines d'années au même endroit et en deviennent très fières; mais il ne rencontra jamais Vache-Marine et ne trouva jamais d'île à son goût.

Si la plage était bonne et ferme et se prolongeait en arrière par un talus où les phoques pourraient jouer, il y avait toujours à l'horizon la fumée d'un baleinier en train d'extraire de l'huile de baleine, et Kotick savait ce que signifiait ce spectacle-là. Ou bien il constatait que l'île avait jadis été fréquentée par des phoques, mais qu'on les avait exterminés, et Kotick savait que là où les hommes sont déjà venus ils reviennent toujours.

Il fit la rencontre d'un vieil albatros à queue courte, qui lui dit que les îles Kerguelen étaient l'idéal pour qui voulait la paix et la tranquillité; mais lorsque Kotick eut gagné ces lieux reculés, il faillit bien se faire déchiqueter sur des falaises noires et mauvaises par une grosse tourmente de neige fondue, accompagnée d'éclairs et de coups de tonnerre. Pourtant, en reprenant le large face à la tempête, il se rendit compte que, jusqu'en cet endroit, il y avait eu jadis une nursery de phoques. Et il en alla de même dans toutes les îles qu'il visita.

Limmershin m'en fit une longue énumération, car il me dit que Kotick avait consacré cinq saisons à ses explorations, prenant chaque année quatre mois de repos à Novastoshnah, où les *holluschickie* se moquaient de lui et de ses îles imaginaires. Il alla aux Galapagos, lieu aride et affreux, sous l'équateur, où il fut près de mourir rôti par le soleil, en Géorgie du Sud, aux Orcades du Sud, à l'île d'Émeraude, à l'île du Petit-Rossignol, à l'île de Gough, à l'île de Bouvet, aux Crozet, et il aborda même un petit bout d'îlot, au sud du cap de Bonne-Espérance. Mais partout le peuple de la mer lui disait la même chose. Des phoques étaient venus autrefois dans ces îles, mais les hommes les avaient exter-

Ces folles chasses anciennes visaient tantôt le cachalot, mastodonte des mers capable d'aller capturer des calmars géants à plus de 300 mètres de fond, tantôt différentes espèces de baleines dont le grand rorqual, susceptible de peser 130 tonnes pour près de 30 mètres de longueur.

Sur le cercle polaire, à 600 kilomètres de l'extrême nord de la Norvège, le Spitzberg, découvert, il y a quatre siècles, par le navigateur néerlandais Barentz, abrite des glaciers vertigineux et de hautes falaises abruptes. Des phoques sellés, des morses tiennent ses côtes. Des oiseaux ultra-septentrionaux, mergules nains, bernaches nonnettes y font leurs nids.

minés jusqu'au dernier. Même lorsqu'il eut parcouru des milliers de milles hors du Pacifique et qu'il fut parvenu en un lieu appelé cap Corrientes (ce fut en revenant de l'île de Gough), il trouva quelques centaines de phoques galeux sur un rocher, qui lui dirent que les hommes venaient là aussi.

Cela faillit lui briser le cœur et il franchit le cap Horn pour regagner ses plages natales. En route vers le nord, il aborda une île couverte d'arbres verdoyants, où il trouva un vieux, un très vieux phoque agonisant. Kotick prit du poisson pour lui et lui confia toutes ses peines.

66 ... il aborda une île couverte d'arbres verdoyants où il trouva un vieux, un très vieux phoque agonisant. **99**

Ci-dessus, Henry Elliott, situé au premier plan, face à une foule d'otaries de l'île Saint-Paul aux Pribilof, s'apprête à peindre ce paysage marin. C'était en 1872. Le premier défenseur de ces mammifères marins allait témoigner contre les tueries massives – près de cent mille peaux de l'espèce écorchées pour être commercialisées chaque année. Le rapport accablant de ce peintre humaniste fut étouffé à la demande de la Compagnie commerciale de l'Alaska, désireuse de continuer à distribuer des bénéfices confortables à ses quatorze actionnaires. En 1886, Elliott publiait un ouvrage, *An Arctic Province*, dont Kipling se servit pour la description de l'Alaska et des mœurs des phoques dans «Le phoque blanc».

« Maintenant, dit Kotick, je m'en retourne à Novastoshnah et si l'on m'emmène avec les *holluschickie* à l'aire d'abattage, peu m'importe. »

Le vieux phoque lui dit :

« Essaie encore une fois. Je suis le seul survivant de la colonie perdue de Masafuera et, à l'époque où les hommes nous tuaient par centaines de mille, on racontait sur les plages qu'un phoque blanc viendrait un jour du nord pour conduire le peuple phoque en un lieu tranquille. Je suis vieux et je ne verrai jamais ce jour-là, mais d'autres le verront. Essaie encore une fois. »

Alors Kotick retroussa sa moustache (elle était superbe) et dit :

« Je suis le seul phoque blanc qui ait jamais vu le jour sur les plages et je suis le seul phoque, noir ou blanc, qui ait jamais songé à chercher de nouvelles îles. »

Cela lui rendit énormément de courage ; et lorsqu'il revint à Novastoshnah cet été-là, Matkah, sa mère, le supplia de se marier et de s'établir, car ce n'était plus un *holluschick*, mais un *sea catch* adulte, portant sur les épaules une crinière blanche bouclée, aussi gros, aussi grand et aussi impétueux que son père.

« Accorde-moi encore une saison, répondit-il. Rappelle-toi, mère, que c'est toujours la septième vague qui monte le plus haut sur la plage. »

Chose curieuse, il se trouvait qu'une camarade de Kotick pensait, elle aussi, remettre son mariage à l'année suivante : il dansa avec elle la danse du feu tout le long de la plage de Lukannon, le soir qui précéda son départ pour son ultime exploration.

Cette fois, il fit route vers l'ouest, car il était tombé dans le sillage d'un immense banc de flétans et il lui fallait au moins cent livres de poisson par jour pour rester en bonne forme. Il le poursuivit jusqu'au moment où, pris de fatigue, il se pelotonna et s'endormit dans le creux des lames de fond qui se dirigent vers l'île du Cuivre. Il connaissait parfaitement la côte; aussi, vers minuit, lorsqu'il sentit son corps heurter légèrement un lit de varech, se dit-il : « Hum ! la marée est bien forte ce soir. » Puis il se retourna sous l'eau, ouvrit lentement les yeux et s'étira. Après quoi il bondit comme un chat, car il avait vu d'énormes créatures qui fouinaient dans l'eau peu profonde et broutaient les lourdes franges du varech.

« Par les puissantes lames de Magellan ! fit-il sous sa moustache. Qui donc, au nom du grand Océan, sont ces gens-là ? »

Ces êtres ne ressemblaient à aucune bête, morse, lion de mer, phoque, ours, baleine, requin, poisson, calmar ou coquille Saint-Jacques, que Kotick eût encore vue. Ils mesuraient de vingt à trente pieds de long et n'avaient pas de nageoires postérieures, mais une queue en forme de spatule, qui paraissait taillée dans du cuir mouillé. Leur tête avait l'air le plus stupide du monde et ils se tenaient en équilibre sur le bout de leur queue dans l'eau profonde lorsqu'ils ne broutaient pas, s'inclinant l'un devant l'autre avec solennité et agitant les nageoires de devant comme un gros homme agite le bras.

« Hum ! fit Kotick. Bonne prise, messieurs ? »

Les grosses créatures répondirent en s'inclinant et en agitant les nageoires comme Frog-Footman. Lorsqu'elles se remirent à paître, Kotick vit que leur lèvre supérieure formait deux lobes qui pouvaient s'écarter brusquement d'environ un pied et se refermer sur un boisseau entier d'algues. Elles enfournaient le tout au fond de leur gueule et le mastiquaient d'un air solennel.

Dans le conte de Lewis Carroll *Alice au pays des merveilles*, la jeune héroïne rencontre Frog-Footman, un valet grenouille qui ne cesse d'opiner de la tête. C'est à ce personnage agité, bien connu des lecteurs anglais, que Kipling compare le mouvement des nageoires des vaches marines.

Le vrai nom de la vache marine est celui de lamentin : un doux mammifère hantant surtout les estuaires tropicaux où il ne se nourrit que de plantes aquatiques.

« Voilà une façon bien malpropre de manger », fit Kotick. Les créatures s'inclinèrent de nouveau et Kotick commença à perdre patience. « Très bien, dit-il. S'il se trouve que vous avez vraiment une articulation de plus à la nageoire de devant, il est inutile de vous exhiber ainsi. Je vois que vous vous inclinez avec grâce, mais j'aimerais savoir comment on vous appelle. »

Les lèvres fendues remuèrent et s'écartèrent ; les yeux verts et vitreux s'arrondirent ; mais Kotick n'eut pas de réponse.

« Ah, ça ! dit-il, c'est bien la première fois que je rencontre des gens plus laids que Sea-Vitch... et plus malappris. »

Alors il se rappela dans un éclair ce que lui avait crié le goéland bourgmestre à l'île aux Morses, lorsqu'il n'était qu'un petit d'un an, et il se jeta à la renverse dans l'eau, car il savait qu'il avait enfin trouvé Vache-Marine.

Les vaches marines continuaient de brouter et de mastiquer bruyamment de grosses lippées de varech, et Kotick les interrogea dans toutes les langues qu'il avait apprises au hasard de ses voyages ; or le peuple de la mer parle presque autant de langues différentes que les hommes. Mais les vaches marines ne répondirent pas, parce que la vache marine ne peut pas parler. Elle n'a que six os dans le cou, alors qu'il lui en faudrait sept, et l'on dit, sous les mers, que c'est ce qui l'empêche de parler, même à ses semblables ; mais, comme vous le savez, elle possède une articulation supplémentaire à la nageoire antérieure et, en la remuant de haut en bas et de droite à gauche, elle s'en sert comme d'un signal télégraphique rudimentaire.

Avant le jour, la crinière de Kotick était toute hérissée et sa patience s'en était allée où vont les crabes morts. Alors les vaches marines se mirent en route vers le nord, s'arrêtant de temps à autre pour tenir d'absurdes conciliabules de courbettes, et Kotick les suivit en se disant : « Des gens aussi stupides se seraient fait tuer depuis longtemps s'ils n'avaient trouvé une île sûre ; et ce qui est bon pour Vache-Marine est bon pour Sea-Catch. Tout de même, j'aimerais qu'elles se dépêchent. »

Difforme mais indolent et pacifique, le lamentin, bedonnant et long de 4 mètres, peut peser plusieurs centaines de kilos.

Ce fut bien fastidieux pour Kotick. Le troupeau ne couvrait jamais plus de quarante à cinquante milles dans la journée, s'arrêtait la nuit pour se repaître et serrait toujours les côtes de près. Kotick, pour sa part, nageait autour des vaches marines, par-dessus, par-dessous, mais il n'arriva pas à leur faire presser l'allure d'un demi-mille. À mesure qu'elles progressaient vers le nord, elles se réunissaient à quelques heures d'intervalle seulement pour tenir leurs conciliabules de courbettes, et Kotick faillit s'arracher la moustache à coup de dents, tant il s'impatientait; mais il finit par s'apercevoir qu'elles suivaient un courant chaud et, alors, il éprouva pour elles plus de respect.

Une nuit elles se laissèrent couler dans l'eau luisante; elles se laissèrent couler comme des pierres et, pour la première fois depuis que Kotick avait fait leur connaissance, elles se mirent à nager vite. Il les suivit et s'étonna de leur allure, car il n'avait jamais imaginé que Vache-Marine eût le moindre talent pour la nage. Elles piquèrent droit sur une falaise proche du rivage, une falaise qui plongeait en eau profonde, et s'engouffrèrent dans un trou, sombre à sa base, par vingt brasses de fond. Elles nagèrent longtemps, longtemps, et Kotick manqua grandement d'air frais avant d'atteindre la sortie du tunnel noir qu'elles lui faisaient franchir.

« Par ma tignasse ! fit-il, lorsque, suffoquant et soufflant, il émergea en eau libre, à l'autre extrémité. La plongée a été longue, mais ça valait la peine. »

> 66 Kotick manqua grandement d'air frais avant d'atteindre la sortie du tunnel. 99

Les vaches marines s'étaient séparées et paissaient paresseusement en bordure des plus belles plages que Kotick eût jamais vues. Il y avait de longues étendues de rocher bien lisse, sur des milles et des milles, parfaitement adaptées à l'installation de nurseries ; il y avait, par derrière, des terrains de jeux de sable dur, montant vers l'intérieur des terres ; il y avait pour les phoques des rouleaux dans lesquels danser, de longues herbes où se rouler, des dunes où monter et descendre et, mieux encore, Kotick sut au toucher de l'eau, qui n'a jamais trompé un vrai *sea catch*, qu'aucun homme n'était jamais venu là.

La première chose qu'il fit, ce fut de s'assurer que les eaux étaient poissonneuses ; puis il longea les plages et dénombra les îles enchanteresses, basses et sablonneuses, que dissimulaient à moitié les belles nappes mouvantes du brouillard. Au loin, vers le nord et le large, s'étirait un chapelet de barres, de hauts-fonds et de récifs qui interdisait à tout navire d'approcher à moins de six milles de la plage ; tandis qu'entre les îles et la terre ferme se trouvait une étendue d'eau profonde, jusqu'aux falaises à pic et, quelque part sous ces falaises, s'ouvrait le tunnel.

« C'est une autre Novastoshnah, mais dix fois mieux, dit Kotick. Vache-Marine doit être plus

❝ … il longea les plages et dénombra les îles enchanteresses, basses et sablonneuses, que dissimulaient à moitié les belles nappes mouvantes de brouillard. **❞**

sagace que je ne le pensais. Des hommes ne pourraient descendre ces falaises, quand bien même il y aurait des hommes par ici ; et les hauts-fonds, du côté de la mer, mettraient un navire en miettes. S'il existe un lieu sûr à la surface des mers, c'est bien celui-ci. »

Il se prit à penser à celle qu'il avait quittée, mais quoiqu'il eût hâte de rentrer à Novastosnah il explora à fond la nouvelle contrée, afin d'avoir réponse à toutes les questions. Puis il plongea et, après avoir bien repéré l'entrée du tunnel, il enfila celui-ci vers le sud. Personne, sauf une vache marine ou un phoque, n'aurait soupçonné l'existence de pareil endroit et, lorsqu'il regarda derrière lui, Kotick lui-même eut peine à croire qu'il était passé sous ces falaises.

Il mit six jours à rentrer chez lui, sans pourtant s'attarder en route ; et lorsqu'il toucha terre, juste au-dessus du goulet du Lion-de-Mer, la première personne qu'il rencontra fut celle qui l'attendait et qui vit à son regard qu'il avait fini par trouver son île.

Mais les *holluschickie*, son père Sea-Catch, et tous les autres phoques se moquèrent de lui quand il leur fit part de sa découverte, et un jeune phoque qui avait à peu près son âge lui dit :

« Tout cela est bien beau, Kotick, mais surgir ainsi on ne sait d'où pour nous ordonner de partir, tu n'y penses pas ! Rappelle-toi que nous nous sommes battus pour nos nurseries, et cela tu ne l'as jamais fait. Tu as préféré vagabonder à la surface des mers. »

Les autres éclatèrent de rire à ces mots et le jeune phoque

Cette composition paysagère où se prélassent, à proximité de palmiers, des mammifères marins, est très idéalisée. Si des otaries vivent bien en Californie, la plupart des pinnipèdes fréquentent des mers nettement moins chaudes. Reste le phoque moine, originaire de Méditerranée où il ne subsiste plus qu'en très petit nombre et dont les effectifs les plus importants se manifestent, face au grand désert saharien, en vue de la Mauritanie.

se mit à tourner la tête à droite et à gauche. Il venait de se marier cette année-là et il en faisait toute une histoire.

« Je n'ai pas de nursery à défendre, dit Kotick. Je veux seulement vous indiquer à tous un endroit où vous serez en sûreté. À quoi bon se battre ?

– Oh ! Si tu essaies de te dérober, je n'ai plus rien à dire, bien sûr, dit le jeune phoque, en poussant un vilain ricanement.

– Viendras-tu avec moi si je gagne ? », demanda Kotick.

Et une lueur verte s'alluma dans ses yeux, car il était furieux d'avoir à livrer combat.

« Très bien, répondit le jeune phoque d'un ton désinvolte. Si d'aventure tu gagnes, je viendrai. »

Il n'était plus temps de changer d'avis, car la tête de Kotick partit comme une flèche et ses dents s'enfoncèrent dans le gras du cou de l'adversaire. Puis Kotick se rejeta sur les hanches, traîna son ennemi sur la plage, le secoua et finit par le renverser. Alors il rugit à l'adresse des phoques :

« J'ai fait de mon mieux pour vous, au cours des cinq dernières

Après s'être nourris de poissons et de pieuvres, pendant les trois quarts de l'année, les phoques retrouvent la terre ferme pour un trimestre. C'est alors que les femelles mettent bas. Chaque mère, sauf exception, donne le jour à un petit, mais en allaite volontiers deux si un bébé orphelin se confie à elle.

❝ … ses yeux flamboyaient, ses grosses canines brillaient ; il était superbe à voir. ❞

saisons. Je vous ai trouvé une île où vous serez en sécurité, mais, à moins que l'on ne vous arrache la tête de vos cous d'imbéciles, vous refusez de le croire. Eh bien, je vais vous apprendre. Prenez garde à vous ! »

Limmershin m'a dit que, de sa vie (et Limmershin voit dix mille gros phoques se battre chaque année), de toute sa courte vie, il n'avait jamais rien vu de pareil à Kotick fonçant dans les nurseries. Il se jetait sur le plus gros *sea catch* qu'il pouvait trouver, le saisissait à la gorge, le faisait suffoquer, frappant et cognant, jusqu'à ce que l'autre poussât un grognement pour

Les combats de mâles chez les pinnipèdes se déroulent avec une violence impitoyable. Dans leur furie batailleuse, les deux adversaires poussent de véritables rugissements et soufflent bruyamment.

demander grâce ; puis il le jetait de côté et attaquait le suivant. Kotick, voyez-vous, n'avait jamais jeûné pendant quatre mois, comme le faisaient chaque année les gros phoques ; ses voyages en haute mer le maintenaient en excellente condition et, avantage suprême, il ne s'était jamais encore battu. La colère hérissait sa blanche crinière bouclée, ses yeux flamboyaient, ses grosses canines brillaient ; il était superbe à voir.

Le vieux Sea-Catch, son père, le vit passer en trombe, traîner les vieux phoques grisonnants de-ci de-là comme s'il s'était agi de flétans, culbuter les jeunes célibataires de tous côtés. Et Sea-Catch, poussant un rugissement, s'écria :

« Il est peut-être idiot, mais personne ne se bat mieux que lui sur toutes nos plages. Ne t'en prends pas à ton père, mon fils ! Il est avec toi ! »

Pour toute réponse Kotick se mit à rugir et le vieux Sea-Catch, dandinant des hanches, vint se joindre à lui, la moustache hérissée, soufflant comme une locomotive, tandis que Matkah et la future épouse de Kotick se faisaient toutes petites, pleines d'admiration pour leurs hommes. Ce fut un combat magnifique, car tous deux se battirent aussi longtemps qu'il se trouva un phoque pour oser lever la tête, puis ils paradèrent majestueusement sur la plage, allant et venant côte à côte en hurlant.

La nuit tombée, comme l'aurore boréale diffusait ses lueurs clignotantes dans le brouillard, Kotick grimpa sur un rocher dénudé et contempla les nurseries dispersées et les phoques tout lacérés et saignants.

« Voilà, dit-il, je vous ai donné une belle leçon.

– Par ma tignasse ! fit le vieux Sea-Catch, en se soulevant, le corps tout roide, car il était terriblement meurtri. L'orque elle-même n'aurait pu les mettre en pièces de pareille façon. Fils, je suis fier de toi et, qui plus est, je t'accompagne, moi, dans ton île, s'il existe un tel lieu.

– Hé, vous, là-bas, gros pourceaux de mer ! Qui m'accompagne au tunnel de la Vache-Marine ? Répondez ou je vais vous donner une autre leçon », rugit Kotick.

Un murmure se fit entendre, pareil au frémissement de la marée, sur toute l'étendue des plages.

« Oui, nous viendrons, firent des milliers de voix pleines de lassitude. Oui, nous suivrons Kotick, le phoque blanc. »

Alors Kotick rentra la tête entre les épaules et ferma les yeux, plein d'orgueil. Ce n'était plus un phoque blanc, mais un phoque rouge de la tête à la queue. Et pourtant, il eût dédaigné de regarder ou de toucher une seule de ses blessures.

Une semaine plus tard lui et son armée (forte d'environ dix mille *holluschickie* et vieux phoques) prenaient la direction du nord et du tunnel de la Vache-Marine, sous la conduite de Kotick, et ceux qui restaient à Novastoshnah les traitèrent d'imbéciles. Mais au printemps suivant, lorsqu'ils se retrouvèrent tous à proximité des bancs de pêche du Pacifique, les phoques de Kotick firent de telles descriptions des nouvelles plages, situées de l'autre côté du tunnel de la Vache-Marine, qu'un nombre croissant de phoques abandonna Novastoshnah.

Naturellement cela ne se fit pas tout de suite, car il faut beaucoup de temps aux phoques pour retourner les choses dans leur esprit. Mais au fil des ans ils furent plus nombreux à quitter Novastoshnah, Lukannon et les autres nurseries pour les plages tranquilles et bien abritées où Kotick trône tout l'été, plus gros, plus gras et plus fort chaque année, tandis que les *holluschickie* jouent autour de lui, dans cette mer où ne s'aventure jamais aucun homme.

Dans le cercle du plus Grand Nord, une aurore boréale, quand elle se manifeste, surgie comme par enchantement, semble la plus imprévue des fantasmagories de la nature. On la croit dépendante d'un mystérieux magnétisme. Elle se magnifie dans les formes inouïes qu'elle épouse et les couleurs intenses qu'elle expose pour une durée d'exception toujours jugée trop brève. Autour du continent antarctique, il est, de même, d'inoubliables aurores australes .

66 La nuit tombée,
comme l'aurore
boréale diffusait ses
lueurs clignotantes
dans le brouillard,
Kotick grimpa sur
un rocher
dénudé… **99**

LUKANNON

Voici le chant majestueux qu'entonnent en haute mer tous les phoques de Saint-Paul, lorsque, l'été venu, ils regagnent leurs plages. C'est une sorte d'hymne national, d'une grande tristesse.

J'ai vu mes frères ce matin (las ! je suis chargé d'ans !)
Où la lame en été roule sur les rocs mugissants.
J'entends monter le chant qui des flots couvre la rumeur :
Plages de Lukannon… des myriades de voix en chœur.

Chant des séjours heureux auprès des amères lagunes,
Chant des grands bataillons qui, soufflant, dévalaient des dunes,
Des danses de minuit arrachant à l'eau des lueurs :
Plages de Lukannon… avant l'invasion des chasseurs.

J'ai vu mes frères ce matin (pour ne plus les revoir !),
Allant, venant, légions sur le rivage rendu noir.
Dans l'embrun, aussi loin que portait la voix, nous hélions
Ceux qui venaient à terre et de nos chants les escortions.

Plages de Lukannon… le blé d'hiver si haut monté…
Lichens crépus, ruisselants, brouillards dont tout est trempé !
Et pour nos jeux, une terrasse luisante et polie !
Plages de Lukannon… pays natal, notre patrie !

J'ai vu mes frères ce matin, bande éparse et battue.
L'homme massacre : en mer, une balle ; au sec, la massue.
L'homme nous conduit, troupeau bête et soumis, aux saleurs,
Et pourtant nous chantons toujours Lukannon… sans chasseurs.

Demi-tour, demi-tour ! Au sud ! Pars ! Ô Gooverooska
Conter au vice-roi des mers notre triste saga
Ou, vidée tels des œufs de squale échoués aux rivages,
Lukannon ne connaîtra plus les enfants de ses plages.

Si l'on n'en tue pas en grand nombre, prétendent aujourd'hui les adversaires des diverses mesures de pondération ou d'interdiction de chasses aux pinnipèdes, le dépeuplement sera celui des poissons de l'océan. Mais les excès des grandes pêches industrielles sont infiniment plus ravageurs que l'appétit de ces animaux innocents.

132

RIKKI-TIKKI-TAVI

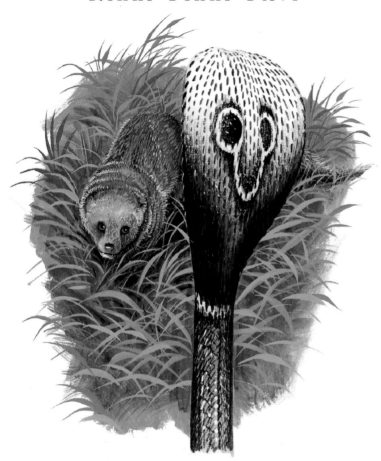

66 … Nag, le grand
cobra noir […] se mit
à se balancer sur place,
tout comme une aigrette
de pissenlit se balance
dans le vent, et à
regarder Rikki-Tikki
de ses yeux mauvais
de serpent. 99

Au trou lorsqu'il descendit
Œil-Rouge héla Fronce-Écaille.
Petit Œil-Rouge te dit :
« Viens, Nag, danser avec la mort ! »

L'œil dans l'œil et face à face,
(En mesure, Nag).
Point de fin que l'un ne meure ;
(Quand tu voudras, Nag).
Contorsion pour contorsion –
(Va te cacher, Nag).
Tueur en capuchon, c'est manqué !
(Malheur à toi, Nag).

Voici l'histoire de la grande guerre que Rikki-Tikki-Tavi livra seul dans les salles de bains du grand bungalow, à la caserne de Segowlee. Darzee la fauvette couturière l'aida, et Chuchundra le rat musqué, qui ne s'aventure jamais au milieu d'une pièce mais en fait toujours le tour en rasant les murs, lui donna des conseils. Mais c'est lui qui se battit.

Rikki-Tikki était le petit d'une mangouste. Sa fourrure et sa queue rappelaient assez celles d'un chaton, mais sa tête et son comportement avaient tout de la belette. Ses yeux et le bout de son museau, toujours en mouvement, étaient roses ; il pouvait se gratter partout où bon lui semblait, avec n'importe laquelle de ses pattes, de devant ou de derrière, à son choix ; il pouvait gonfler la queue, au point de lui donner l'aspect d'un goupillon, et son cri de guerre, qu'il poussait en courant dans l'herbe haute, était « Rikk-tikk-tikki-tikki-tchk ! »

❝ Rikki-Tikki était le petit d'une mangouste. Sa fourrure et sa queue rappelaient assez celles d'un chaton… ❞

Un jour, une grande crue d'été le tira du terrier où il vivait avec son père et sa mère et l'entraîna, battant des pattes et poussant de petits cris, dans un fossé, au bord d'une route. Là, il trouva une petite touffe d'herbe qui flottait ; il s'y cramponna et finit par perdre connaissance. Lorsqu'il revint à lui, il gisait en plein soleil, au milieu d'une allée de jardin, littéralement couvert de boue, et un petit garçon disait :

« Une mangouste morte ! Faisons-lui des funérailles.

– Non, répliqua sa mère. Emportons-la à la maison pour la faire sécher. Elle n'est peut-être pas tout à fait morte. »

Ils emportèrent Rikki-Tikki dans la maison, où un homme de grande taille le prit entre le pouce et l'index et dit qu'il n'était pas mort, mais à demi suffoqué. Alors on l'enveloppa dans du coton, on le réchauffa, il ouvrit les yeux, puis éternua.

« Attention, dit l'homme (c'était un Anglais qui venait de

s'installer dans le bungalow), ne lui faites pas peur ; on va voir comment elle se conduit. »

C'est la chose la plus difficile au monde que d'effrayer une mangouste parce que cet animal est dévoré de curiosité du museau jusqu'au bout de la queue. La devise de toute la famille des mangoustes est « Cherche et trouve ». Or Rikki-Tikki était une vraie mangouste. Il regarda le coton, conclut que ce n'était pas bon à manger, fit prestement tout le tour de la table, se dressa sur son séant pour remettre sa fourrure en ordre, se gratta et sauta sur l'épaule du petit garçon.

« N'aie pas peur, Teddy, fit son père. C'est sa façon de se lier d'amitié.

– Aïe ! Elle me chatouille le dessous du menton », dit Teddy.

Rikki-Tikki plongea un regard entre le col et la nuque de l'enfant, lui renifla l'oreille et descendit sur le plancher, où il resta sur son séant à se frotter le nez.

« Par exemple ! fit la mère de Teddy, et c'est là ce qu'on appelle une bête sauvage ! Je suppose que si elle est aussi familière, c'est parce que nous l'avons bien traitée.

– Toutes les mangoustes sont comme cela, dit son mari. Si Teddy ne la prend pas par la queue ou n'essaie pas de la mettre en cage, elle passera toute la journée à entrer et sortir, comme chez elle. Donnons-lui quelque chose à manger. »

Ils lui donnèrent un petit morceau de viande crue. Rikki-Tikki la trouva excellente et, lorsqu'il l'eut finie, il passa dans la véranda, s'assit au soleil et fit bouffer sa fourrure pour qu'elle sèche jusqu'aux racines. Alors il se sentit mieux.

« Il y a plus de choses à découvrir dans cette maison, se dit-il, que tous les membres de ma famille n'en pourraient découvrir dans toute leur existence. Je vais rester, assurément, et faire des découvertes. »

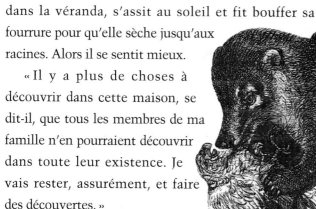

Connues pour les combats victorieux qu'elles livrent contre les serpents, les mangoustes ont un régime alimentaire fort varié. Elles s'en prennent couramment à toutes sortes de bêtes. On compte, réparties en Afrique et en Asie, une cinquantaine d'espèces de mangoustes. Celle que voici a été photographiée au Sri-Lanka. Elle se nourrit aussi bien de rats, de serpents, de grenouilles ou d'œufs.

Sacrée dans l'Égypte antique parce qu'elle découvrait et dévorait les œufs de crocodile, la mangouste est moins appréciée quand elle tue des oiseaux, soit en pleine nature comme ci-dessous, soit en visitant des poulaillers.

La mangouste excelle à débarrasser un verger de ses animaux nuisibles. Les fruits, citrons ou autres, s'en trouvent mieux protégés...

Les jeunes pousses de bambous ont une valeur alimentaire appréciable. Elles recèlent une moelle d'un goût très agréable. Les tiges adultes servent à fabriquer meubles, objets usuels, embarcations.

Il employa toute la journée à parcourir la maison. Il faillit se noyer dans les baignoires, il trempa le museau dans l'encre, sur un bureau, se le brûla au bout du cigare de l'homme, car il était grimpé sur les genoux de celui-ci pour voir comment on s'y prend pour écrire. À la tombée de la nuit, il courut dans la chambre de Teddy pour regarder comment on allumait les lampes à pétrole et, quand Teddy se mit au lit, il y grimpa aussi. Mais c'était un compagnon remuant ; il lui fallut en effet se lever et prêter attention à chaque bruit, toute la nuit durant, pour en découvrir l'origine. Le père et la mère de Teddy entrèrent pour jeter un dernier coup d'œil sur leur enfant et ils virent Rikki-Tikki, les yeux bien ouverts, sur l'oreiller.

« Je n'aime pas cela, dit la mère de Teddy. Elle pourrait mordre le petit.

– Elle n'en fera rien, répondit le père. Teddy est plus en sûreté avec cette petite bête que s'il avait un limier pour le garder : si un serpent entrait maintenant dans la chambre... »

Mais la mère de Teddy s'interdisait de penser à quelque chose d'aussi horrible.

De bon matin, le lendemain, Rikki-Tikki vint, juché sur l'épaule de Teddy, au petit déjeuner, pris dès le réveil dans la véranda. On lui donna de la banane et un peu d'œuf à la coque, et il s'installa sur les genoux de chacun, tour à tour, car une mangouste bien élevée espère toujours devenir mangouste domestique, un jour ou l'autre, et disposer de pièces à explorer ; et la mère de Rikki-Tikki (elle avait habité la maison d'un général, à Segowlee) avait bien expliqué à son fils ce qu'il devrait faire si jamais il rencontrait des hommes blancs.

Puis Rikki-Tikki sortit dans le jardin pour voir ce qu'il y avait à voir. C'était un grand jardin, à moitié cultivé seulement, où poussaient des buissons de roses Maréchal-Niel aussi grands que des gloriettes, des limes et des orangers, des bouquets de bambou et des fourrés d'herbe haute. Rikki-Tikki se pourlécha les lèvres. « Voici un merveilleux terrain de chasse », dit-il. Et rien que d'y penser sa queue prit son aspect de goupillon; puis il se mit à courir dans tout le jardin, reniflant de-ci de-là, et finit par entendre des voix tout éplorées dans un buisson épineux.

C'étaient Darzee et son épouse, le couple de fauvettes couturières. Ils avaient confectionné un joli nid en cousant deux grosses feuilles bord à bord avec des fibres, puis avaient rempli le creux de coton et de duvet velouté. Perchés sur le bord, ils pleuraient, faisant osciller le nid de droite et de gauche.

« Qu'y a-t-il? demanda Rikki-Tikki.

– Nous sommes bien malheureux, répondit Darzee. Un de nos bébés est tombé du nid hier et Nag l'a mangé.

– Hum! fit Rikki-Tikki. C'est bien triste... mais je suis nouveau ici. Qui est Nag? »

Darzee et son épouse, pour toute réponse, se blottirent en silence au fond de leur nid, car de l'herbe drue au pied du buisson montait un sifflement bas, un son froid, horrible, qui fit faire à Rikki-Tikki un bond d'au moins deux pieds en arrière. Puis, pouce par pouce, s'élevèrent de l'herbe la tête et le capuchon déployé de Nag le grand cobra noir, qui mesurait cinq pieds de long du bout de la langue au bout de la queue. Lorsqu'il eut dressé un tiers de son corps au-dessus du sol, il se mit à se balancer sur place, tout comme une aigrette de pissenlit se balance dans le vent, et à regarder Rikki-Tikki de ses yeux mauvais de serpent, qui jamais ne changent d'expression, quelles que soient les pensées qui l'habitent.

« Qui est Nag? fit-il. C'est moi, Nag. Le grand dieu Brahma a mis sa marque sur notre peuple entier lorsque le premier cobra déploya son capuchon pour abriter du soleil le dieu endormi. Regarde et prends peur! »

Il déploya son capuchon encore davantage et Rikki-Tikki vit au dos la marque en forme de lunettes, qui ressemble tout à fait à l'œillet d'une fermeture à agrafe. Il prit peur sur le moment; mais une mangouste ne peut éprouver de frayeur plus d'un instant et, bien que

Très commune dans l'ensemble de l'Asie du Sud-Est, la fauvette couturière est une créature familière dont la queue frétille en permanence. On admire son habileté à perforer de son bec de grandes feuilles prélevées dans des buissons et à les coudre à l'aide de fibres végétales, toiles d'araignées, cocons divers. Le nid résultant de ce subtil enchevêtrement pend à la branche. Mâle et femelle couvent à tour de rôle les deux ou trois œufs déposés dans le nid.

Rikki-Tikki n'eût jamais encore rencontré de cobra vivant, sa mère l'avait nourri de cobras morts et il savait qu'une mangouste adulte a pour tâche, dans la vie, de combattre et de tuer des serpents. Nag le savait aussi et, au fond de son cœur de glace, il avait peur.

« Allons ! dit Rikki-Tikki, dont la queue se reprit à gonfler, avec ou sans marque, trouves-tu bien de manger, comme tu l'as fait, des oisillons tombés du nid ? »

Nag gardait pour lui ses pensées et observait le moindre frémissement de l'herbe derrière Rikki-Tikki. Il savait que la présence de mangoustes dans le jardin signifiait, tôt ou tard, la mort pour lui-même et pour sa famille, mais il voulait tromper la vigilance de Rikki-Tikki. Il baissa donc un peu la tête et la porta de côté.

« Parlons un peu, dit-il. Tu manges bien des œufs. Pourquoi ne mangerais-je pas d'oiseaux ?

– Derrière ! Regarde derrière-toi ! » chanta Darzee.

Rikki-Tikki se garda bien de perdre du temps à écarquiller les yeux. Il bondit en l'air, aussi haut qu'il le put, et juste au-dessous de lui la tête de Nagaina, l'épouse malfaisante de Nag, passa comme une flèche. Elle s'était approchée de lui par-derrière pendant qu'il parlait, afin de lui régler son compte ; et il entendit son sifflement féroce lorsqu'elle manqua son but. Il retomba presque en travers du dos de Nagaina. À sa place, une vieille mangouste aurait su que c'était juste le moment de lui briser l'échine d'un seul coup de dent ; mais il eut peur du terrible coup de fouet en retour du cobra. Il mordit, certes, mais ne mordit pas assez longtemps et, d'un bond, il fut hors de portée de cette queue cinglante, laissant Naigana meurtrie et pleine de rage.

« Méchant, méchant Darzee ! » fit Nag, fouettant l'air aussi haut qu'il le put en direction du nid, dans le buisson épineux ; mais Darzee l'avait construit hors d'atteinte des serpents et le nid ne fit qu'osciller de droite et de gauche.

Rikki-Tikki sentit ses yeux devenir rouges et brûlants (lorsque les yeux d'une mangouste rougissent, c'est qu'elle est en colère) ; il se cala sur la queue et les pattes de derrière comme un petit kangourou, jeta un coup d'œil circulaire et se mit à glapir de rage. Mais Nag et Nagaina avaient disparu dans l'herbe. Lorsqu'un serpent manque son coup, il ne dit jamais rien et ne donne aucun signe de ce qu'il a l'intention de faire ensuite. Rikki-Tikki ne tenait pas à les suivre, car il n'était pas sûr de pouvoir venir à bout de deux serpents à la fois. Il s'en alla donc, trottinant, jusqu'à l'allée de gravier, près de la maison, où il s'assit pour réfléchir. C'était, pour lui, une sérieuse affaire.

Si vous lisez les vieux livres d'histoire naturelle, vous y trouverez que lorsqu'une mangouste se bat contre un serpent et qu'il lui arrive de se faire mordre, elle se sauve pour aller manger une espèce d'herbe qui la guérit. Ce n'est pas vrai. La victoire n'est qu'une question d'agilité du regard et d'agilité de la patte : détente du serpent contre bond de la mangouste ; et comme aucun regard ne peut suivre le mouvement de la tête d'un serpent lorsqu'elle frappe, la réalité des faits est encore plus extraordinaire que n'importe quelle herbe magique. Rikki-Tikki se savait jeune mangouste et il n'en fut que plus satisfait de penser qu'il avait réussi à esquiver une attaque dans le dos. Cela lui donna confiance en lui-même et lorsque Teddy arriva en courant dans l'allée, Rikki-Tikki était prêt à se laisser caresser.

Mais au moment même où Teddy se penchait il y eut un petit tressaillement dans la poussière et une voix très ténue dit :

« Prends garde. Je suis la mort. » C'était Karait, le minuscule serpent brun poussière qui se plaît sur les sols poudreux et dont la

Dissimulé parmi les roseaux, le nid d'une fauvette européenne, la rousserole effarvatte.

L'assemblage en bourse, formant cornet, de la fauvette tachetée, originaire d'Amérique.

66 « Méchant, méchant Darzee ! » fit Nag, fouettant l'air aussi haut qu'il le put en direction du nid dans le buisson épineux... 99

L'animal que Kipling et les colons anglais dénommaient à tort rat musqué n'est pas un rongeur mais une grande musaraigne insectivore, d'aspect plutôt répugnant, qu'on surprend en train de fouiner dans les demeures.

Géant du genre naja dont la longueur peut approcher de 5 mètres, le cobra royal se nourrit d'autres serpents, qu'il ingère en totalité : autrement dit, c'est un serpent ophiophage.

morsure est aussi dangereuse que celle du cobra. Mais il est si petit que personne ne pense à lui et il n'en fait que plus de mal aux gens.

Les yeux de Rikki-Tikki redevinrent rouges et il s'approcha de Karait de ce pas singulier, ondoyant et oscillant qu'il avait hérité de sa famille. Cette allure a l'air très comique, mais elle est si parfaitement équilibrée qu'elle permet de faire brusquement un écart, dans la direction voulue et, lorsqu'on a affaire à des serpents, c'est un avantage. Si seulement il l'avait su, Rikki-Tikki faisait là quelque chose de bien plus dangereux que de se battre contre Nag, car Karait était si petit et pouvait se retourner si vite qu'à moins de le mordre juste derrière la tête, Rikki allait recevoir le coup en retour dans l'œil ou à la lèvre. Mais Rikki ne le savait pas : il avait les yeux tout rouges et il se balançait d'avant en arrière, cherchant une bonne prise. Karait attaqua. Rikki bondit de côté et tenta de revenir au corps à corps, mais la mauvaise petite tête gris poussière fouetta l'air à moins d'un cheveu de son épaule ; il dut sauter par-dessus le corps, et la tête suivit de tout près ses talons.

Teddy cria aux gens de la maison :

« Oh ! Venez voir ! Notre mangouste est en train de tuer un serpent ».

Et Rikki-Tikki entendit la mère de Teddy pousser un cri. Son père sortit en courant, un bâton à la main, mais il n'était pas arrivé que, déjà, Karait avait visé une fois de plus trop loin, que Rikki-Tikki, d'un bond, s'était jeté sur son dos, avait penché la tête très bas entre les pattes de devant, mordu l'échine du serpent aussi haut qu'il avait pu la saisir et s'était laissé retomber par terre. Cette morsure-là paralysa Karait et Rikki-Tikki s'apprêtait à le manger tout entier en commençant par la queue, selon l'usage de sa famille à dîner, quand il se souvint qu'à manger tout son soûl une mangouste s'engourdit et que, s'il voulait disposer de toutes ses forces et de toute sa vivacité, il devait rester mince.

Il s'en alla prendre un bain de poussière sous les ricins, tandis que le père de Teddy frappait le cadavre de Karait. « À quoi bon ? pensa Rikki-Tikki. J'ai réglé l'affaire. » Sur quoi la mère le prit dans la poussière, le serra dans ses bras en criant qu'il avait sauvé Teddy de la mort et le père déclara que la Providence l'avait envoyé, pendant que Teddy contemplait la scène avec de grands yeux effarés. Rikki-Tikki se divertissait plutôt de tout ce tintouin qu'il ne comprenait évidemment pas. La mère de Teddy aurait pu tout aussi bien câliner son fils pour avoir joué dans la poussière. Rikki s'amusait énormément.

Ce soir-là, au dîner, en se faufilant parmi les verres à vin sur la table, il aurait pu se gaver trois fois de bonnes choses ; mais il se souvint de Nag et de Nagaina et, malgré tout l'agrément de se laisser flatter et caresser par la mère de Teddy et de se tenir sur l'épaule de Teddy, ses yeux devenaient rouges de temps à autre et il poussait son cri de guerre prolongé, « Rikk-tikk-tikki-tikki-tchk ! »

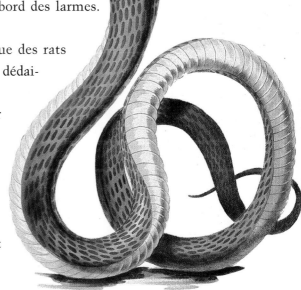

Le cobra indien justifie, sur le haut de son dos déployé en capuchon, son surnom de «serpent à lunettes».

Teddy l'emporta au lit avec lui et tint à le faire dormir sous son menton. Rikki-Tikki était trop bien élevé pour mordre ou pour griffer, mais dès que Teddy se fut endormi, il s'en alla faire sa ronde de nuit autour de la maison et, dans l'obscurité, il tomba sur Chuchundra le rat musqué, qui se coulait le long du mur. Chuchundra est une petite bête chagrine. Il geint et piaule toute la nuit, tentant de se résoudre à avancer jusqu'au milieu de la pièce, sans jamais y parvenir.

« Ne me tue pas, dit Chuchundra, au bord des larmes. « Rikki-Tikki, ne me tue pas.

– Penses-tu qu'un tueur de serpents tue des rats musqués ? demanda Rikki-Tikki d'un ton dédaigneux.

– Ceux qui tuent les serpents se font tuer par les serpents, dit Chuchundra, plus affligé que jamais. Et comment aurais-je la certitude que Nag ne me prendra pas pour toi par une nuit bien noire ?

– Il n'y a pas le moindre danger, répondit Rikki-Tikki ; d'ailleurs Nag se tient dans le jardin et je sais que tu n'y vas pas.

– Mon cousin Chua le rat, m'a dit..., commença Chuchundra, et puis, il s'arrêta.

– T'a dit quoi ?

– Chut ! Nag est partout, Rikki-Tikki. Tu aurais dû parler à Chua au jardin.

– Je ne l'ai pas fait... Alors il faut me dire. Vite, Chuchundra, ou je te mords ! »

Chuchundra s'assit et se mit à pleurer si fort que les larmes lui tombèrent des moustaches.

« Je suis un bien pauvre hère, dit-il en sanglotant. Je n'ai jamais eu le courage de me lancer jusqu'au milieu de la pièce. Chut ! Je ne dois rien te dire. Tu n'entends donc pas, Rikki-Tikki ? »

Rikki-Tikki écouta. La maison était plongée dans un silence total, mais il lui sembla qu'il pouvait tout juste percevoir le criss-criss le plus faible qu'on pût imaginer... Un bruit aussi faible que celui d'une guêpe qui se déplace sur une vitre... Le crissement sec d'écailles de serpent sur des briques.

« C'est Nag ou Nagaina, se dit-il, en train de pénétrer dans le conduit d'évacuation de la salle de bains. Tu as raison, Chuchundra ; j'aurais dû parler à Chua. »

Il gagna doucement la salle de bains de Teddy, où il ne trouva rien, puis celle de la mère de Teddy. Au pied du mur enduit de plâtre lisse on avait retiré une brique pour permettre l'évacuation de l'eau du bain et, comme Rikki-Tikki se glissait dans la pièce et longeait le rebord en maçonnerie derrière lequel on posait la baignoire, il en tendit, dehors, Nag et Nagaina chuchoter au clair de lune.

142

« Quand il n'y aura plus un seul être humain dans la maison, disait à son mari Nagaina, il faudra bien qu'il s'en aille, lui ; et alors le jardin nous appartiendra de nouveau. Entre sans bruit et rappelle-toi que l'homme qui a tué Karait est celui qu'il faut mordre en premier. Puis, reviens me dire comment cela s'est passé et nous partirons ensemble à la recherche de Rikki-Tikki.

– Mais es-tu sûre qu'il y ait quelque chose à gagner à tuer les humains ? demanda Nag.

– Tout. Quand personne n'habitait le bungalow, avions-nous une mangouste dans le jardin ? Tant que le bungalow sera vide, nous serons roi et reine du jardin. Et souviens-toi qu'aussitôt nos œufs éclos dans la melonnière (et ce peut être demain), nos enfants auront besoin d'espace et de paix.

– Je n'avais pas pensé à cela, dit Nag. J'y vais. Mais il sera inutile de nous mettre ensuite à la recherche de Rikki-Tikki. Je tuerai l'homme et sa femme, puis l'enfant si je peux, et filerai sans bruit. Alors le bungalow sera vide et Rikki-Tikki s'en ira. »

Rikki-Tikki frémit tout entier de rage et de haine à ces mots ; puis la tête de Nag émergea du conduit, suivie des cinq pieds de long de son corps froid. Rikki-Tikki avait beau être en colère, il eut très peur en voyant la taille du grand cobra. Nag se lova, dressa la tête et plongea le regard dans la salle de bains obscure. Rikki voyait briller ses yeux.

« Voyons, si je le tue ici, Nagaina le saura ; et si je l'attaque par terre, à découvert, les chances seront de son côté. Que faire ? », se dit Rikki-Tikki-Tavi.

Nag ondoya de-ci de-là, puis Rikki-Tikki l'entendit boire à la plus grosse des jarres qui servaient à remplir la baignoire.

« C'est bon, dit le serpent. Voyons ; quand Karait s'est fait tuer, l'homme avait un bâton. Peut-être a-t-il encore ce bâton, mais lorsqu'il viendra prendre son bain demain matin, il n'aura pas de bâton. Je vais l'attendre ici. Nagaina... m'entends-tu ?... Je vais attendre ici, au frais, jusqu'au jour. »

Aucune réponse ne se fit entendre dehors. Rikki-Tikki comprit donc que Nagaina était partie. Nag se lova, un anneau après

Dressé à la verticale sur une longueur équivalente à la moitié de son corps (long, en moyenne, de 1,6 mètre) ce naja, excité, élargit son cou, comme gonflé subitement par un soufflet interne.

En dehors des situations d'affrontement, les cobras se tiennent en position horizontale plus ou moins enroulée. Ils ont vite fait de se redresser si le besoin s'en fait sentir.

l'autre, autour du fond bombé de la jarre, et Rikki-Tikki resta figé comme la mort. Au bout d'une heure il se mit en mouvement, un muscle après l'autre, et avança vers la jarre. Nag dormait et Rikki-Tikki regarda son dos puissant en y cherchant la meilleure prise. « Si je ne lui brise pas les reins au premier bond, dit Rikki, il pourra encore se battre ; et s'il se bat… oh, Rikki ! » Il considéra l'épaisseur du cou, au-dessous du capuchon : c'était trop pour lui ; et une morsure près de la queue aurait pour seul effet de mettre Nag en fureur. « Il faut que ce soit la tête, dit-il enfin ; la tête au-dessus du capuchon. Et, une fois là, plus question de lâcher. »

Alors il bondit. La tête de Nag se trouvait à quelques doigts de la jarre, au-dessous du renflement ; au moment où ses dents se rejoignirent, Rikki s'arc-bouta à la panse d'argile rouge pour maintenir au sol la tête du serpent. Il ne garda ce point d'appui qu'une seconde, mais en tira tout l'avantage qu'il put ; après quoi il se fit ballotter en tous sens, comme un rat que secoue un chien, à droite et à gauche sur le sol, de haut en bas et en rond, suivant de grands cercles ; mais il avait les yeux rouges et il tint ferme, tandis que le corps du serpent fouettait le sol, renversant la grande louche en fer-blanc, le porte-savon, la brosse de toilette, et donnait de grands coups sur la paroi en fer-blanc de la baignoire. Tenant toujours, il serra de plus en plus les mâchoires, car il était sûr qu'il allait mourir sous les coups et, pour l'honneur de sa famille, il préférait qu'on le trouvât les dents verrouillées. La tête lui tournait, il était moulu et avait l'impression d'être réduit en menus morceaux quand, soudain, il y eut comme un coup de tonnerre juste derrière lui ; un souffle brûlant lui fit perdre connaissance et une flamme rouge lui roussit la fourrure. L'homme, que le bruit avait réveillé, venait de faire feu des deux canons d'un fusil de chasse visant Nag juste derrière le capuchon.

Rikki-Tikki tenait toujours bon, les yeux fermés, car il était bien sûr maintenant

> 66 … le corps du serpent fouettait le sol, renversant la grande louche en fer blanc, le porte-savon, la brosse de toilette… 99

144

❝ La nouvelle de la mort de Nag avait fait le tour du jardin, car le balayeur avait jeté le corps sur le tas d'ordures. ❞

la tête ne bougeait plus et l'homme le souleva de terre en disant :

« Encore la mangouste, Alice ; c'est à nous que la brave petite bête a sauvé la vie, cette fois. »

Alors la mère de Teddy entra dans la pièce, le visage très pâle, vit ce qu'il restait de Nag et Rikki-Tikki se traîna jusqu'à la chambre de Teddy, où il passa la moitié de cette fin de nuit à se secouer délicatement pour vérifier s'il était vraiment en miettes, comme il le croyait.

Quand vint le matin, il était fort raide mais très satisfait de sa besogne. « Et maintenant, au tour de Nagaina ; elle sera pire que cinq Nag réunis et il n'y a pas moyen de savoir quand vont éclore

Ces gravures anciennes représentent deux parentes de la mangouste : la genette, ci-dessus, longtemps domestiquée avant que le chat ne la

remplace, et la civette (ci-dessus), qui fut aussi élevée... mais pour son musc recherché par les parfumeurs.

les œufs dont elle a parlé. Juste Ciel ! Il faut que j'aille voir Darzee », se dit-il.

Sans attendre le petit déjeuner, Rikki-Tikki courut au buisson épineux où Darzee chantait à tue-tête un chant de triomphe. La nouvelle de la mort de Nag avait fait le tour du jardin, car le balayeur avait jeté le corps sur le tas d'ordures.

« Allons, stupide petite touffe de plumes ! dit Rikki-Tikki en colère. Est-ce le moment de chanter ?

– Nag est mort... mort... et bien mort ! chantait Darzee. Le vaillant Rikki-Tikki l'a saisi à la tête et a tenu ferme. L'homme est venu avec le bâton qui fait boum et Nag est tombé, coupé en deux ! Jamais plus il ne mangera mes bébés.

– Très juste ; mais où se trouve Nagaina ? demanda Rikki-Tikki, regardant soigneusement autour de lui.

– Nagaina est allée devant le conduit de la salle de bains et elle a appelé Nag, reprit Darzee ; mais Nag est sorti au bout d'un bâton... Le balayeur l'a ramassé au bout d'un bâton et l'a jeté sur le tas d'ordures. Chantons le grand Rikki-Tikki, Rikki-Tikki aux yeux rouges ! » Sur quoi Darzee se rengorgea et poursuivit son chant.

« Si je pouvais atteindre ton nid, j'en ferais dégringoler tous tes bébés ! dit Rikki-Tikki. Tu ne sais jamais faire ce qu'il faut au moment où il faut. Tu es bien à l'abri là-haut dans ton nid ; mais pour moi, en bas, c'est la guerre. Arrête un peu de chanter, Darzee.

– Pour l'amour du grand, du beau Rikki-Tikki je m'arrête, dit Darzee. Qu'y a-t-il, ô toi qui as tué le terrible Nag ?

– Où se trouve Nagaina, pour la troisième fois ?

– Sur le tas d'ordures, près des écuries. Elle pleure la mort de Nag. Grand est Rikki-Tikki aux dents blanches.

– Foin de mes dents blanches ! Aurais-tu ouï dire où elle garde ses œufs ?

– Dans la melonnière, du côté le plus proche du mur, où le soleil tape presque toute la journée. Cela fait des semaines qu'elle les y a cachés.

– Et tu n'as jamais jugé bon de me le dire ? Du côté le plus proche du mur, dis-tu ?

Avant la confrontation, le cobra crache son venin de face, vers le bas, mais jamais vers le haut.

– Rikki-Tikki, tu ne vas pas manger ses œufs ?

– Les manger ? Non, pas exactement. Darzee, si tu as un brin de jugeotte, tu vas vite te rendre aux écuries, faire semblant d'avoir une aile brisée et laisser Nagaina te poursuivre jusqu'à ce buisson. Il faut que j'aille à la melonnière et si j'y allais maintenant, elle me verrait. »

Darzee était un petit écervelé qui ne pouvait jamais avoir en tête plus d'une idée à la fois ; et tout simplement parce qu'il savait que les enfants de Nagaina naissaient d'œufs semblables aux siens, il ne croyait pas, de prime abord, qu'il fût juste de les tuer. Mais sa femme était un oiseau raisonnable et elle savait que des œufs de cobra finissent par donner de jeunes cobras. Elle s'envola donc du nid et laissa Darzee tenir les bébés au chaud et continuer à chanter la mort de Nag. Darzee ressemblait beaucoup aux hommes à certains égards.

66 Elle s'en vint voleter devant Nagaina, près du tas d'ordures, et s'écria… 99

Elle s'en vint voleter devant Nagaina, près du tas d'ordures, et s'écria :

« Oh, j'ai une aile brisée ! Le petit garçon de la maison m'a jeté une pierre et me l'a brisée. »

Puis elle se remit à voleter, plus désespérément que jamais.

Nagaina leva la tête et siffla :

« Tu as averti Rikki-Tikki au moment où j'allais le tuer. En vérité, tu as certes mal choisi ton endroit pour boiter. »

Et elle se dirigea vers la femme de Darzee, glissant sur la poussière.

« Le petit garçon me l'a brisée avec une pierre ! cria la femme de Darzee.

– Eh bien ! tu trouveras peut-être quelque consolation, après ta mort, à la pensée que je vais régler mes comptes avec l'enfant. Mon mari gît ce matin sur le tas d'ordures, mais avant la nuit le petit garçon de la maison reposera dans une immobilité parfaite. À quoi bon t'enfuir ? Tu ne m'échapperas pas. Petite sotte, regarde-moi ! »

La femme de Darzee se garda bien de faire une chose pareille, car un oiseau qui regarde un serpent dans les yeux est tellement terrifié qu'il ne peut plus bouger. La femme de Darzee continua de voleter, pépiant tristement, sans jamais quitter le sol, et Nagaina pressa l'allure.

À peine sortis de leurs œufs, voici des pythons réticulés, espèce non

venimeuse (contrairement aux cobras). Issus d'une couvée ayant duré plus de trois mois, ils mesurent déjà quelque 60 centimètres.

Rikki-Tikki les entendit s'éloigner des écuries et remonter l'allée ; alors il galopa vers le côté du carré de melons qui se trouvait près du mur. Là, dans la paille tiède répandue autour des melons, très habilement cachés, il découvrit vingt-cinq œufs, à peu près de la grosseur d'œufs de poule de Bantam, mais recouverts d'une peau blanchâtre au lieu d'une coquille.

« Je n'arrive pas un jour trop tôt », dit-il, car il avait aperçu les bébés cobras enroulés à l'intérieur de la peau et il savait que, sitôt éclos, chacun d'entre eux pouvait tuer un homme ou une mangouste. D'un coup de dents il arracha le bout des œufs aussi vite qu'il le put, en prenant soin d'écraser les jeunes cobras, et il retourna la paille à plusieurs reprises pour s'assurer qu'il n'en avait oublié aucun. Il ne restait plus enfin que trois œufs et Rikki-Tikki s'était mis à rire tout seul, lorsqu'il entendit la femme de Darzee crier d'une voix perçante :

« Rikki-Tikki, j'ai entraîné Nagaina vers la maison et elle est entrée dans la véranda et… oh ! viens vite… elle veut tuer ! »

Rikki-Tikki écrasa deux œufs, sortit dare-dare de la melonnière à reculons avec le troisième œuf dans la gueule et se précipita vers la véranda aussi vite que le lui permettaient ses pattes. Teddy, sa mère et son père s'y trouvaient, devant leur petit déjeuner ; mais Rikki-Tikki vit qu'ils ne mangeaient pas. Ils étaient pétrifiés sur leur siège, le visage livide. Nagaina était lovée sur la natte tout près de la chaise de Teddy, à bonne portée de la jambe nue du garçonnet, et elle se balançait de droite et de gauche, tout en chantant un chant de triomphe.

« Fils de l'homme qui a tué Nag, sifflait-elle, ne bouge pas. Je ne suis pas prête encore. Attends un peu. Restez bien immobiles tous les trois. Si vous bougez je frappe, et si vous ne bougez pas, je frappe aussi. Oh, insensés qui avez tué mon Nag ! »

Les yeux de Teddy étaient rivés sur son père et tout ce que son père pouvait faire était de murmurer :

« Reste tranquille, Teddy. Il ne faut pas bouger. Teddy, reste tranquille. »

Une glande, en profondeur, abrite le venin disponible. Un canal assure son acheminement. À l'entrée de la mâchoire supérieure, on peut distinguer le crochet d'inoculation.

C'est alors que Rikki-Tikki arriva et cria :

« Retourne-toi, Nagaina ; demi-tour ! Viens te battre !

– Chaque chose en son temps, dit-elle, sans remuer les yeux. Toi, je te réglerai ton compte un peu plus tard. Regarde tes amis, Rikki-Tikki. Ils sont immobiles et livides ; ils ont peur. Ils n'osent pas bouger et, si tu approches d'un pas, je frappe.

L'élargissement de la nuque des serpents du genre naja – signe d'excitation – se produit sous l'extension des côtes supérieures du torse.

– Va voir tes œufs, dit Rikki-Tikki, dans la melonnière, près du mur. Va les voir, Nagaina. »

Le gros serpent se retourna à moitié et vit l'œuf dans la véranda.

« Ahhh ! Donne-le-moi », fit-elle.

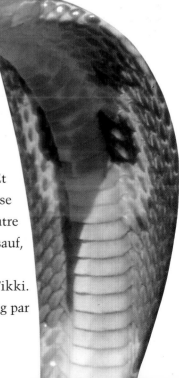

Rikki-Tikki mit l'œuf entre ses pattes ; il avait les yeux rouge sang. « Quel prix es-tu prête à payer pour un œuf de serpent ? Pour un jeune cobra ? Un jeune cobra royal ? Le dernier, le tout dernier de la couvée ? Les fourmis sont en train de manger tous les autres, là-bas, près de la melonnière. »

Nagaina fit volte-face, oubliant tout pour cet œuf unique. Et Rikki-Tikki vit le père de Teddy tendre brusquement une grosse main, empoigner Teddy par l'épaule et le tirer d'un bord à l'autre de la petite table où se trouvaient les tasses à thé, sain et sauf, hors de portée de Nagaina.

« Bernée ! Bernée ! Bernée ! Rikk-tck-tck ! gloussa Rikki-Tikki. L'enfant est sain et sauf et c'est moi, moi, moi qui ai saisi Nag par le capuchon, hier soir, dans la salle de bains. » Puis il se mit à sautiller sur place, les quatre pattes ensemble, la tête tout près du sol. « Il m'a secoué en tous sens, mais n'a pas réussi à me faire lâcher prise. Il était mort avant que l'homme en fasse deux morceaux. C'est moi qui ai fait cela. Rikki-tikki-tck-tck! Viens donc, Nagaina. Viens te battre avec moi. Tu ne seras pas longtemps veuve. »

Nagaina vit qu'elle avait perdu l'occasion de tuer Teddy. Et l'œuf était entre les pattes de Rikki-Tikki.

« Donne-moi le dernier de mes œufs et je m'en irai pour ne jamais plus revenir, dit-elle en rabattant son capuchon.

– Oui, tu vas t'en aller et ne jamais revenir; car tu vas t'en aller rejoindre Nag sur le tas d'ordures. Bats-toi, la veuve! L'homme est allé chercher son fusil! Bats-toi. »

Rikki-Tikki faisait des bonds tout autour de Nagaina, juste hors de son atteinte, ses petits yeux semblables à deux charbons ardents. Nagaina se replia sur elle-même et se jeta sur lui. Rikki-Tikki fit un saut en arrière. Elle attaqua de nouveau, encore et encore; et à chaque fois sa tête heurtait bruyamment la natte de la véranda, puis elle se repliait sur elle-même comme un ressort de montre. Alors Rikki-Tikki, tout en sautillant, décrivait un cercle pour passer derrière elle et Nagaina se retournait pour rester face à face, si bien que sa queue bruissait sur la natte comme des feuilles mortes chassées par le vent.

Rikki-Tikki avait oublié l'œuf. Il était toujours dans la véranda. Nagaina s'en rapprochait de plus en plus et elle finit, tandis que Rikki-Tikki reprenait souffle, par le saisir dans la gueule; elle se tourna vers les marches de la véranda et fila comme une flèche dans l'allée, suivie de Rikki-Tikki. Lorsqu'un cobra s'enfuit pour échapper à la mort, il a la rapidité d'un coup de fouet cinglant la nuque d'un cheval.

Rikki-Tikki savait qu'il devait attraper Nagaina, ou que tous les ennuis recommenceraient. Elle allait droit vers les hautes herbes, au pied du buisson épineux, et Rikki-Tikki, tout en courant, entendit Darzee qui chantait toujours son stupide petit chant de triomphe. Mais la femme de Darzee était plus avisée. Elle s'envola de son nid à l'approche de Nagaina et vint battre des ailes autour de sa tête. Si Darzee l'avait aidée, ils lui auraient peut-être fait faire demi-tour ; mais Nagaina se contenta de rabattre son capuchon et poursuivit son chemin. Pourtant cet instant de retard permit à Rikki-Tikki de la rattraper et, quand elle plongea dans le trou de rat où elle avait vécu avec Nag, les petites dents blanches de Rikki-Tikki se refermèrent sur sa queue et il s'engouffra derrière elle : or, très peu de mangoustes, si avisées et si vieilles soient-elles, tiennent à suivre un cobra dans son trou. Il faisait noir dans le trou ; et comment Rikki-Tikki pouvait-il savoir s'il n'allait pas s'élargir et laisser à Nagaina assez de place pour se retourner et l'attaquer ! Il resta férocement accroché, les pattes écartées pour

Courte sur pattes, menue, mais d'une vivacité hors du commun et ne craignant rien ni personne, la mangouste défie, agace, épuise le serpent convoité. Puis elle le frappe une première fois. Le reptile l'enlace en se débattant comme pour la ceinturer. Mais il est trop tard, car sous les dents de l'attaquante, les forces du serpent l'abandonnent inexorablement.

66 ... quand elle plongea dans le trou de rat où elle avait vécu avec Nag, les petites dents blanches de Rikki-Tikki se refermèrent sur sa queue. **99**

servir de freins sur la pente noire de terre chaude et humide.

Alors l'herbe qui poussait près de l'ouverture du trou cessa d'onduler et Darzee s'écria :

« C'en est fait de Rikki-Tikki! Chantons son hymne funèbre. Le vaillant Rikki-Tikki est mort! Car Nagaina va sûrement le tuer sous la terre. »

Il chanta donc un chant des plus lugubres, improvisé sous l'inspiration du moment, et à la seconde même où il en venait à la partie la plus émouvante, l'herbe se remit à frémir et Rikki-Tikki, tout sale, s'extirpa du trou, une patte après l'autre, en se léchant les moustaches. Darzee s'arrêta avec un petit cri. Rikki-Tikki d'une secousse débarrassa sa fourrure d'une partie de sa poussière et éternua. « C'est fini, dit-il. La veuve ne ressortira plus jamais. »

Le barbu à plastron rouge se fait tellement remarquer par sa façon de donner de la voix que le surnom d'«oiseau chaudronnier» lui a été attribué à juste titre. Mais la mangouste ne saurait pourtant être

Et les fourmis rouges qui vivent entre les tiges des herbes l'entendirent et commencèrent à descendre en procession, l'une après l'autre, pour voir s'il avait dit la vérité.

Rikki-Tikki se pelotonna dans l'herbe et s'endormit sur place. Il dormit, dormit, jusqu'à une heure avancée de l'après-midi, car il avait eu une rude journée de travail.

« Maintenant, dit-il en s'éveillant, je m'en vais retourner à la maison. Préviens le barbu à front rouge, Darzee, et il annoncera à tout le jardin que Nagaina est morte. »

Le barbu à front rouge est un oiseau qui fait un bruit tout à fait semblable aux coups d'un petit marteau sur un pot de cuivre; et s'il fait toujours ce bruit, c'est parce qu'il est le crieur public de tout jardin indien et annonce toutes les nouvelles à quiconque a envie d'écouter. Cheminant dans l'allée, Rikki-Tikki l'entendit lancer son « Attention! attention! » pareil au son d'un tout petit gong de table; puis, en notes soutenues :

réellement perturbée par le timbre de l'oiseau, semblable aux coups, fréquemment répétés, d'un petit marteau sur un vase de cuivre.

« Ding-dong-tock! Nag est mort... dong! Nagaina est morte! Ding-dong-tock! »

À ce signal tous les oiseaux du jardin se mirent à chanter et les grenouilles à coasser; car Nag et Nagaina mangeaient des grenouilles, aussi bien que de petits oiseaux.

Lorsque Rikki arriva à la maison, Teddy, la mère de Teddy

(elle était encore très pâle, car elle s'était évanouie) et le père de Teddy sortirent et faillirent verser des larmes sur lui; et ce soir-là il se gorgea de tout ce qui lui fut présenté, puis, repu, il alla au lit sur l'épaule de Teddy, où la mère de Teddy le trouva encore, lorsqu'elle vint jeter son coup d'œil, tard dans la soirée.

« Elle nous a sauvé la vie, ainsi qu'à Teddy, dit-elle à son mari. Tu te rends compte! Elle nous a sauvé la vie à tous les trois! »

Rikki-Tikki s'éveilla en sursaut, car toutes les mangoustes ont le sommeil léger.

« Oh, c'est vous!, fit-il. Pourquoi vous tracasser? Tous les cobras sont morts; et s'ils ne l'étaient pas, je suis là. »

Rikki-Tikki avait le droit d'être fier de lui; mais il ne tomba pas dans un excès de fierté et il protégea ce jardin comme une mangouste doit le faire, avec ses dents, avec ses sauts, avec ses bonds et ses morsures, si bien que jamais plus cobra n'osa montrer la tête entre les murs.

MÉLOPÉE DE DARZEE
(CHANTÉE EN L'HONNEUR DE RIKKI-TIKKI-TAVI)

Moi qui suis chanteur et tailleur,
Je connais deux fois le bonheur.
Fier des trilles qu'en l'air je lance,
Fier du logis que je me couds,
Dessus, dessous, je tisse ma musique…
et tisse aussi le logis que je couds.

Tu peux chanter à tes petits,
Mère, et te dresser sur ton nid!

Le mal qui sévissait n'est plus,
La mort en ce jardin est morte.
La frayeur qui se cachait dans les roses… la voici jetée
aux ordures, morte !
Mais qui nous a délivrés, qui ?
Dis-moi son nom, dis-moi son nid.
C'est Rikki, le vaillant, le brave,
Tikki, aux prunelles de feu,
Rik-Tikki-Tikki, le chasseur au croc d'ivoire et à la
prunelle de feu.

Que les oiseaux lui rendent grâce,
Queues épanouies en panache !
Sur les notes du rossignol –
Non, c'est à moi de le louer.
Oyez la chanson de Rikki à la prunelle rouge, à la
queue déployée.

66 La frayeur
qui se cachait
dans les roses… **99**

(Ici Rikki-Tikki interrompit Darzee
et le reste du chant est perdu.)

TOOMAI DES ÉLÉPHANTS

Je veux me rappeler ce que j'étais : la corde et la chaîne m'assomment ;

Je veux me rappeler ma force et mes exploits en forêt autrefois.

Je ne veux plus pour des bottes de canne à sucre vendre mon dos aux hommes,

Je veux retrouver les miens, et dans ses gîtes le peuple des bois.

Je veux quêter jusqu'au jour, jusqu'à la première clarté,

Le baiser immaculé du vent et de l'eau la pure caresse.

Je veux oublier l'anneau passé à ma patte et briser mon piquet,

Revoir mes amours de jadis, mes amis sans maître qui les oppresse.

Sur leur plate-forme, en pleine jungle, les ordonnateurs d'un fantastique système de capture.

Kala Nag, c'est-à-dire Serpent-Noir, servait le gouvernement de l'Inde de toutes les manières dont peut le servir un éléphant, depuis quarante-sept ans ; et, comme il avait bien vingt ans quand on l'avait capturé, cela lui en faisait presque soixante-dix : un bel âge pour un éléphant. Il se rappelait qu'il avait poussé, avec un gros bourrelet de cuir au front, un canon profondément embourbé, et cela, avant la guerre d'Afghanistan de 1842, alors qu'il n'avait pas acquis toute sa force. Sa mère, Radha Pyari, Radha la Bien-Aimée, qui avait été prise au cours de la même battue que Kala Nag, lui avait dit, avant qu'il eût perdu ses défenses de lait, que les éléphants peureux reçoivent toujours des blessures ; et Kala Nag savait que

Dans la force de l'âge, l'éléphant d'Asie pèse de 3 à 4 tonnes. Il est haut de 3 mètres et long de 5 mètres en moyenne, sans compter la queue qui mesure 1,5 mètre. Il peut déplacer un fardeau pesant jusqu'au quart de son poids sur une courte distance, au huitième de son poids sur une distance plus longue. Il fut ainsi couramment utilisé pour des travaux de construction, ou encore pour assurer les transports de l'armée anglaise des Indes (ci-dessous).

c'était là un bon conseil, car la première fois qu'il avait vu éclater un obus, il avait reculé, avec un hurlement, en plein dans un faisceau de fusils, et les baïonnettes l'avaient piqué aux endroits les plus tendres de son corps. Il avait donc, avant d'avoir atteint ses vingt-cinq ans, cessé d'avoir peur, de sorte qu'il était devenu le préféré et le plus choyé des éléphants au service du gouvernement de l'Inde. Il avait transporté des tentes, des chargements de tentes lourds de douze cents livres, au cours de marches dans le nord de l'Inde ; on l'avait hissé à bord d'un navire au bout d'une grue à vapeur, et, après des jours de traversée, on lui avait fait porter un

mortier sur le dos, dans un pays étrange et rocailleux, très loin de l'Inde ; il avait vu l'empereur Théodore étendu mort dans Magdala, puis était rentré, toujours à bord du vapeur, ayant mérité, à ce que disaient les soldats, la médaille de la guerre d'Abyssinie. Il avait vu ses frères éléphants mourir de froid, d'épilepsie, de faim et d'insolation en un lieu appelé Ali Musjid, dix ans plus tard ; après quoi on l'avait envoyé, à des milliers de milles au sud, transporter et mettre en piles de grosses billes de teck dans les chantiers de Moulmein. Là il avait à moitié tué un jeune éléphant rebelle qui renâclait devant sa juste part du travail.

66 … on l'avait hissé à bord d'un navire au bout d'une grue à vapeur… **99**

Après cela, on l'avait retiré des chantiers pour qu'il aide, avec plusieurs dizaines d'autres éléphants dressés à cette besogne, à la capture d'éléphants sauvages dans les monts Garo. Les éléphants font l'objet d'une protection très stricte de la part du gouvernement de l'Inde. Un de ses services entier s'occupe exclusivement de les traquer, de les capturer, de les dompter et de les envoyer aux quatre coins du pays, selon les besoins que l'on a de leur travail.

Kala Nag mesurait dix bons pieds de haut à l'épaule. On lui avait coupé les défenses à cinq pieds et on en avait cerclé le bout, pour leur éviter de se fêler, avec des rubans de cuivre ; mais il pouvait en faire plus avec ces moignons que n'importe quel éléphant non dressé avec ses vraies défenses, bien acérées.

Quand, après de longues semaines passées à faire franchir les montagnes à des éléphants dispersés, en les rabattant avec précaution, les quelque quarante ou cinquante colosses farouches étaient parqués dans la dernière enceinte, que la grosse herse de tronc d'arbres liés s'était, dans un grincement strident, abaissée derrière eux, Kala Nag, au signal donné, pénétrait dans ce pandémonium de lueurs flamboyantes et de barrissements (c'était, en général, la nuit, où le vacillement des torches rend difficile l'évaluation des distances), choisissait dans le troupeau l'adulte le plus gros et le plus farouche et le réduisait au calme à force de coups et de bourrades, tandis que les hommes, montés sur le dos des autres éléphants, passaient des cordes autour des plus petits et les ligotaient.

Il n'y avait rien dans l'art de combattre que ne sût Kala Nag, le vieux et sagace Serpent-Noir, car plus d'une fois en son temps il avait fait face à la charge du tigre blessé. Enroulant sa trompe délicate pour la mettre à l'abri, il frappait la bête de côté, en plein bond, d'un geste vif de la tête, en coup de faucille, qui était de sa propre invention ; il la terrassait et s'agenouillait sur elle de tout le poids de ses énormes genoux, jusqu'à ce qu'elle eût expiré dans un râle et un hurlement, et qu'il ne restât plus au sol qu'un objet rayé, pelucheux, qu'il n'avait plus qu'à tirer par la queue.

« Oui, disait le grand Toomai, son cornac, fils de Toomai le Noir, qui l'avait emmené en Abyssinie et petit-fils de Toomai des Éléphants, qui avait assisté à sa capture, il n'est rien que craigne Serpent-Noir, si ce n'est moi. Il a vu trois générations d'entre nous le nourrir et le panser, et il en verra bien une quatrième.

– Il me craint moi aussi », dit le petit Toomai, en se dressant de toute la hauteur de ses quatre pieds, sans rien sur le corps qu'un lambeau d'étoffe.

Il avait dix ans ; c'était le fils aîné du grand Toomai et, selon la coutume, il prendrait la place de son père sur le cou de Kala Nag quand il serait grand et manierait le lourd *ankus* de fer, l'aiguillon pour éléphants, que les mains de son père, de son grand-père et de son arrière-grand-père avaient poli. Il savait ce qu'il disait ; car il était né à l'ombre de Kala Nag, avait joué avec sa trompe avant de savoir marcher, l'avait conduit à l'eau dès qu'il avait su marcher, et

Kala Nag n'aurait jamais songé à désobéir aux ordres de sa petite voix aiguë, pas plus qu'il n'eût songé à le tuer le jour où le grand Toomai avait apporté le petit bébé brun sous ses défenses et lui avait dit de saluer son futur maître.

De toutes les chasses à dos d'éléphant, celle du tigre, pratiquée par les aristocrates et les dignitaires de l'armée coloniale britannique, était la plus prestigieuse.

L'éléphant servait également de monture de combat en Inde dès 1600. Celle-ci est fabriquée de 8439 plaques de métal se chevauchant, pour un poids total de 159 kilos.

« Oui, dit le petit Toomai, il me craint, moi. Puis il s'approcha de Kala Nag à longues enjambées, le traita de gros lard et lui fit lever les pattes l'une après l'autre. « *Wah!* fit le petit Toomai, tu es un grand éléphant. » Puis, agitant sa tête ébouriffée, il cita son père : « Le gouvernement a beau payer les éléphants, c'est à nous autres cornacs qu'ils appartiennent. Quand tu seras vieux, Kala Nag, un riche rajah viendra; il t'achètera au gouvernement, à cause de ta taille et de tes manières, et alors tu n'auras plus qu'à porter des boucles d'or aux oreilles, un *howdah* d'or sur le dos, un drap rouge recouvert d'or sur les flancs, et marcher en tête des processions du roi. Alors je serai assis sur ton cou, ô Kala Nag, portant un *ankus* d'argent, et des hommes courront devant nous avec des bâtons dorés aux cris de « Place à l'éléphant du roi! ». Ce sera bien agréable, Kala Nag, mais pas aussi agréable que de chasser dans la jungle comme maintenant.

– Peuh! fit le grand Toomai. Tu es un enfant, et aussi ardent qu'un bufletin. Courir ainsi par monts et par vaux n'est pas le meilleur emploi au service du gouvernement. Je me fais vieux et je n'aime pas les éléphants sauvages. Qu'on me donne un quartier de brique, avec une stalle pour chaque éléphant, de grosses souches où attacher les bêtes solidement, et des routes plates et larges pour y faire l'exercice au lieu de ce perpétuel va-et-vient d'un camp à l'autre. Ah! Les casernes de Cawnpore étaient bien agréables. Il y avait un bazar tout près et seulement trois heures de travail par jour. »

Le petit Toomai se rappelait le quartier de Cawnpore et ne dit mot. Il préférait de très loin la vie de camp et détestait ces routes larges et plates, ainsi que les corvées d'herbe quotidiennes dans la réserve à fourrage et les longues heures où il n'y avait rien à faire que de regarder Kala Nag s'agiter entre ses piquets.

La monture de chasse est employée par l'armée, portant docilement une armure de parade. Ci-dessus, l'étendard royal est porté à dos d'éléphant, dans le grand *sowari* (parade), à Baroda.

L'éléphant domestiqué et entraîné sert à son tour à capturer ses congénères sauvages. En effet, les éléphants domestiques se reproduisent peu ; les naissances en captivité sont rares. Ci-dessus, un gros mâle tire un éléphant sauvage que les hommes ont attaché à un arbre.

Au cœur d'une forêt de banyans gigantesques, une promenade à dos d'éléphants transformés en plates-formes mobiles.

Ce qu'aimait le petit Toomai, c'était l'escalade de pistes que seul peut emprunter un éléphant ; la descente précipitée jusqu'au fond de la vallée ; la vue fugitive des éléphants sauvages en train de paître à des milles de là ; le sauve-qui-peut du porc et du paon effrayés sous les pas de Kala Nag ; les pluies tièdes et aveuglantes qui faisaient fumer les montagnes et les vallées ; les belles matinées embrumées où personne ne savait où l'on camperait le soir ; les battues inlassablement poursuivies, avec beaucoup de précautions et, le dernier soir, la ruée, l'embrasement et le vacarme effrénés, lorsque les éléphants sauvages se déversaient dans l'enceinte comme les quartiers de roc d'une avalanche, découvraient qu'ils ne pouvaient pas ressortir et se jetaient contre les lourds poteaux, d'où ils se faisaient repousser à grand renfort de cris, de torches flamboyantes et de salves tirées à blanc.

Là, même un petit garçon pouvait se rendre utile, et Toomai en valait trois. Il prenait sa torche, l'agitait et hurlait avec les plus valeureux. Mais le meilleur moment venait lorsqu'on commençait à faire sortir les éléphants et que le *keddah*, c'est-à-dire l'enceinte, ressemblait à un tableau de fin du monde et que les hommes devaient communiquer par signes parce qu'ils ne pouvaient pas s'entendre parler. Alors le petit Toomai grimpait en haut d'un des poteaux secoués de vibrations, ses cheveux bruns décolorés par le soleil flottant sur toute la largeur de ses épaules, et prenait, à la lumière des torches, l'aspect d'un lutin ; et, à la première accalmie, on entendait les cris aigus d'encouragement qu'il lançait à Kala Nag, dominant les barrissements, le fracas, le bruit sec de cordes rompues et les gémissements des éléphants attachés. « *Maîl, maîl,* Kala Nag ! *Dant do ! Somalo ! Somalo ! Maro ! Mar !* Attention au poteau ! *Arré ! Arré ! Hai ! Yai ! Kya-a-ah !* », criait-il, tandis que Kala Nag et l'éléphant sauvage, dans leur grand combat, roulaient çà et là, d'un bout à l'autre du *keddah*, et que les vieux chasseurs d'éléphants essuyaient la sueur qui leur tombait dans les yeux et trouvaient le temps de faire un signe de la tête au petit Toomai, qui frétillait de joie en haut de son poteau.

Il ne se contentait pas de frétiller. Une nuit il se laissa glisser en bas de son poteau, se faufila parmi les éléphants, prit le bout libre d'une corde tombé à terre et le lança à un cornac qui essayait de prendre appui sur la patte d'un éléphanteau en train de ruer (un jeune donne toujours plus de mal que les adultes). Kala Nag le vit, le saisit dans sa trompe et le tendit au grand Toomai, qui lui donna aussitôt une claque et le remit sur le poteau.

Le lendemain matin, il le réprimanda et lui dit :

« De bonnes stalles de brique et quelques tentes à transporter, n'est-ce pas suffisant, que tu aies besoin d'aller prendre des éléphants de ton propre chef, petit vaurien ? Et voilà que ces imbéciles de chasseurs, dont la paye est inférieure à la mienne, ont parlé de l'affaire à Petersen Sahib. »

Le petit Toomai prit peur. Il ne savait pas grand-chose des Blancs, mais Petersen Sahib était le plus grand homme blanc du monde à ses yeux. C'était le chef de toutes les opérations du *keddah* : l'homme qui capturait

66 Une nuit, il se laissa glisser en bas de son poteau, se faufila parmi les éléphants, prit le bout libre d'une corde tombé à terre et le lança à un cornac... 99

Des rabatteurs d'éléphants guettent l'arrivée d'un troupeau avant de le piéger. Par centaines, pendant trois ou quatre mois, ils pistent les bêtes puis encerclent les troupeaux sauvages. Les rabatteurs les forcent alors à se diriger vers un entonnoir qui n'a qu'une seule issue : le *kraal*, ou enclos aux pieux indéracinables.

Une fois capturés, les animaux sont encadrés par des cornacs chargés de les domestiquer.

tous les éléphants pour le gouvernement de l'Inde et qui en savait plus sur les mœurs des éléphants que n'importe qui sur terre.

« Que... que va-t-il arriver ? demanda le petit Toomai.

– Arriver ! Le pire qui puisse arriver. Petersen Sahib est un insensé. Sinon, pourquoi ferait-il la chasse à ces démons furieux ? Peut-être même va-t-il exiger que tu te mettes à attraper les éléphants et que tu dormes n'importe où dans ces jungles infestées de fièvres. Pour finir piétiné à mort dans le *keddah*. C'est heureux que cette histoire absurde se termine sans accident. La semaine prochaine la capture sera finie et nous autres, des plaines, nous serons renvoyés dans nos quartiers. Alors nous marcherons sur des routes unies et oublierons complètement cette chasse. Mais, fils, je suis fâché de voir que tu te mêles de la besogne qui incombe à ces Assamais, ces sales gens de la jungle. Kala Nag n'obéit qu'à moi seul ; il faut donc que j'entre avec lui dans le *keddah* ; mais c'est uniquement un éléphant de combat ; il n'aide pas à attacher les autres. Je reste donc assis à mon aise, comme il sied à un cornac : non pas un simple chasseur, mais je dis bien un cornac, un homme qui touche une retraite à la fin de son

temps de service. Est-ce que la famille de Toomai des Éléphants n'est bonne qu'à se faire piétiner dans la fange d'un *keddah*? Vilain! Méchant! Fils indigne! Va faire sa toilette à Kala Nag; regarde-lui les oreilles et veille à ce qu'il n'ait pas d'épine dans les pieds; sinon Petersen Sahib t'attrapera certainement et fera de toi un chasseur, un de ces rustres qui suivent les éléphants à la trace, un ours de jungle. Pouah! Fi donc! Va!»

Le petit Toomai s'en alla sans dire mot, mais il conta tous ses griefs à Kala Nag, en lui examinant les pieds.

«Peu importe, dit le petit Toomai, en retroussant le bord de l'énorme oreille droite de Kala Nag. On a dit mon nom à Petersen Sahib et peut-être... peut-être... peut-être... qui sait? Hai! Vois la grosse épine que je viens de t'enlever!»

On passa les quelques jours qui suivirent à rassembler les éléphants, à promener entre deux bêtes apprivoisées les éléphants sauvages fraîchement capturés, pour les empêcher de causer trop d'ennuis pendant la descente vers les plaines, et à dresser l'inventaire des couvertures, des cordes et autres objets hors d'usage ou perdus dans la forêt.

Petersen Sahib arriva sur sa monture, Pudmini, une éléphante de grande intelligence. Il venait de donner leur congé à d'autres camps dans les montagnes, car la saison tirait à sa fin, et, maintenant, un commis indigène, assis à une table sous un arbre, réglait leur salaire aux conducteurs. Chaque homme, une fois payé, retournait à son éléphant et se plaçait dans la file qui était prête à se mettre en route. Les chasseurs, les rabatteurs et les traqueurs, les hommes du *keddah* permanent, qui passaient toute l'année dans la jungle, se tenaient sur le dos des éléphants qui faisaient partie des effectifs réguliers de Petersen Sahib, ou s'appuyaient contre les arbres, le fusil en travers des bras, se moquaient des conducteurs qui allaient partir et riaient quand les éléphants fraîchement capturés rompaient l'alignement et se mettaient à divaguer.

Le grand Toomai s'approcha du commis, suivi du petit Toomai, et Machua Appa, le chef des dépisteurs, dit à voix basse à l'un de ses amis:

Il arrive qu'un mâle parvienne à franchir la ligne des rabatteurs et essaie de s'enfuir. Si une bête est trop agressive et donc dangereuse, si elle charge, les rabatteurs doivent l'éliminer.

« En voici un au moins qui est de l'étoffe dont on fait les bons chasseurs. C'est dommage qu'on envoie ce jeune coq de jungle muer dans les plaines. »

Or, Petersen Sahib était tout oreilles, comme doit l'être un homme qui est à l'écoute du plus silencieux de tous les êtres vivants, l'éléphant sauvage. Il se retourna sur le dos de Pudmini, où il était étendu de tout son long, et dit :

« Quoi ? Je ne savais pas qu'il existait, parmi les conducteurs des plaines, un homme assez malin pour passer une corde autour d'un éléphant, même mort.

– Ce n'est pas un homme, mais un petit garçon. Il a pénétré dans le *keddah* lors de la dernière chasse et y a lancé la corde à Barmao, alors qu'on essayait d'éloigner de sa mère le jeune mâle qui a une tache sur l'épaule. »

Machua Appa montra le petit Toomai du doigt, Petersen Sahib le regarda et le petit Toomai salua jusqu'à terre.

« Lui ! Lancer une corde ? Il est moins haut qu'un piquet. Petit, comment t'appelles-tu ? », demanda Petersen Sahib.

Petit Toomai avait trop peur pour parler, mais Kala Nag était derrière lui ; Toomai lui fit un signe de la main, l'éléphant le souleva dans sa trompe et le tint à la hauteur du front de Pudmini, face au grand Petersen Sahib. Alors le petit Toomai se couvrit le visage des mains, car ce n'était qu'un enfant et, sauf en ce qui touchait les éléphants, il était tout aussi timide que peut l'être un enfant.

« Oho ! fit Petersen Sahib, en souriant sous sa moustache. Pourquoi donc as-tu appris ce tour-là à ton éléphant ? Est-ce pour t'aider à voler du blé vert sur le toit des maisons quand on y met les épis à sécher ?

66 … un commis indigène, assis à une table sous un arbre, réglait leur salaire aux conducteurs. **99**

– Pas du blé vert, protecteur du pauvre… des melons », dit le petit Toomai.

Ci-dessus, une chasse royale : les éléphants sont cernés et capturés par les indigènes tandis que les chasseurs observent le spectacle du haut des arbres.

Sur quoi tous les hommes assis alentour partirent d'un grand éclat de rire. La plupart d'entre eux avaient appris ce tour à leurs éléphants quand ils étaient tout jeunes. Le petit Toomai était suspendu à huit pieds dans les airs, mais il aurait bien voulu se trouver à huit pieds sous terre.

« C'est Toomai, mon fils, Sahib, dit le grand Toomai en fronçant les sourcils. C'est un très vilain garçon, et il finira en prison, Sahib.

– J'ai quelques doutes à ce sujet, répliqua Petersen Sahib. Un garçon capable d'affronter un plein *keddah* à son âge ne finit pas en prison. Tiens, petit, voici quatre *annas* pour t'acheter des douceurs parce que tu as une bonne petite cervelle sous cette grande tignasse. Le moment venu, tu deviendras peut-être aussi un chasseur. »

Le grand Toomai fronça les sourcils de plus belle.

« Mais rappelle-toi quand même, poursuivit Petersen Sahib, que les *keddah* ne sont pas faits pour les jeux d'enfants.

– Il me sera toujours défendu d'y entrer, Sahib ? demanda le petit Toomai avec un gros soupir.

– Non. » Petersen Sahib sourit de nouveau. « Quand tu auras vu danser les éléphants. Alors, ce sera le moment. Viens me trouver quand tu auras vu danser les éléphants, et je te laisserai entrer dans tous les *keddah*. »

66 ... la colonne ondoyante des éléphants descendit, avec des grondements et des cris aigus, le sentier de montagne pour gagner les plaines. **99**

Il y eut encore un grand éclat de rire, car c'est une vieille plaisanterie parmi les chasseurs d'éléphants, qui revient à dire « Jamais ». Il existe bien de grandes clairières au sol uni, cachées au plus profond des forêts, que l'on appelle salles de bal des éléphants ; mais c'est tout, et encore, on ne les découvre guère que par hasard et nul homme n'a jamais vu danser les éléphants. Lorsqu'un conducteur se vante de son habileté et de son courage, les autres conducteurs lui disent : « Quand donc en as-tu vu danser, toi, des éléphants ? »

Kala Nag déposa le petit Toomai, qui, de nouveau, salua jusqu'à terre, partit avec son père et donna la pièce de quatre *annas* en argent à sa mère, qui était en train d'allaiter son bébé, le frère de Toomai. Tous se juchèrent sur le dos de Kala Nag, et la colonne ondoyante des éléphants descendit, avec des grognements et des cris aigus, le sentier de montagne pour gagner les plaines. Ce fut un voyage très mouvementé à cause des nouveaux éléphants, qui causaient des ennuis à chaque gué et auxquels il fallait à tout instant donner des encouragements ou des coups.

À l'état sauvage, les éléphants vivent en troupeaux, composés d'une ou plusieurs familles rassemblées, soit quinze à vingt sujets en moyenne. Mais on a vu des troupeaux approchant la centaine d'individus.

Le grand Toomai aiguillonnait Kala Nag avec animosité, car il était fort en colère ; mais le petit Toomai était trop heureux pour parler. Petersen Sahib l'avait remarqué, lui avait donné de l'argent, et il se sentait comme un simple soldat appelé hors des rangs pour recevoir les éloges de son commandant en chef.

La première épreuve que doit subir un arrivant tout juste capturé est d'être attaché à la patte, isolé, ses ravisseurs en vue. Aujourd'hui, le système de capture a changé : les animaux sont endormis au fusil hypodermique, liés, puis transportés au centre de dressage. Cette méthode est moins dangereuse tant pour l'homme que pour l'animal.

« Que voulait dire Petersen Sahib en parlant de la danse des éléphants ? », finit-il par demander doucement à sa mère.

Le grand Toomai l'entendit et poussa un grognement.

« Que tu ne dois jamais devenir un de ces buffles de montagne que sont les dépisteurs. C'est ça qu'il voulait dire. Holà ! devant ! Qu'est-ce qui nous arrête ? »

Un conducteur assamais, deux ou trois éléphants en avant, se retourna, furieux, en s'écriant :

« Amenez Kala Nag et qu'il cogne ce jeune que j'ai là, pour lui apprendre à bien se conduire. Pourquoi faut-il que Petersen Sahib m'ait choisi, moi, pour descendre avec vous autres, ânes de rizières ? Range ta bête contre la mienne, Toomai, et qu'elle lui mette ses défenses dans le cuir. Par tous les dieux des montagnes, ces éléphants nouveaux sont possédés, ou bien ils flairent leurs compagnons dans la jungle. »

Kala Nag bourra les côtes du nouveau et lui fit perdre le souffle, tandis que le grand Toomai disait :

« On a vidé la montagne de ses éléphants sauvages lors de la dernière capture. C'est uniquement parce que tu les conduis mal. Suis-je donc chargé de maintenir l'ordre tout le long de la colonne ?

– Écoutez-le ! fit l'autre conducteur. On a vidé la montagne ! Oh ! Oh ! Vous en savez long, vous autres gens des plaines. Tout le monde, sauf un obtus qui n'a jamais vu la jungle, saurait bien qu'ils savent, eux, que les battues sont finies pour cette saison. Par conséquent, ce soir, tous les éléphants sauvages vont… Mais à quoi bon jeter son savoir en pâture à des tortues d'eau douce ?

– Que vont-ils faire ? s'écria le petit Toomai.

– Ohé ! petit. Tu es donc là ? Eh bien ! je vais te le dire, car tu es une tête froide. Ils vont danser et ton père, qui a vidé toute la montagne de tous ses éléphants, sera bien inspiré de doubler la chaîne de ses piquets ce soir.

– Qu'est-ce que cette chanson ? Cela fait quarante ans que, de père en fils, nous nous occupons d'éléphants et nous n'avons jamais entendu ces histoires de danse à dormir debout.

– Oui ; mais un homme des plaines qui vit dans une cabane ne connaît que les quatre murs de sa cabane. Alors, laisse tes éléphants sans entraves ce soir et tu verras ce qui se passe. Quant à leur danse, j'ai vu l'endroit où... *Bapree-Bap!* Combien de méandres fait-il donc, ce Di-hang? Voilà encore un gué et il va falloir faire nager les éléphanteaux. Halte, vous autres, en arrière! »

Et c'est ainsi que, causant, se chamaillant et pataugeant dans l'eau des rivières qu'ils franchissaient, ils couvrirent la première étape, qui aboutissait à une sorte de camp d'accueil pour les nouveaux éléphants; mais ils avaient perdu patience bien avant d'y arriver.

Au camp, on enchaîna les éléphants par les pattes de derrière à des piquets gros et courts; on passa des cordes supplémentaires aux nouveaux; on entassa le fourrage devant eux; les conducteurs de montagne retournèrent auprès de Petersen Sahib dans la lumière de l'après-midi, après avoir recommandé aux conducteurs de plaine de redoubler d'attention ce soir-là et s'être mis à rire quand ceux-ci leur eurent demandé pourquoi.

Le petit Toomai se chargea de faire dîner Kala Nag et, à la tombée du soir, parcourut le camp, heureux au-delà de toute expression, en quête d'un tam-tam. Lorsqu'un petit Indien a le cœur comblé, il ne se met pas à courir en tous sens ni à faire un vacarme désordonné.

66 Au camp, on enchaîna les éléphants par les pattes de derrière à des piquets gros et courts. **99**

Il s'assoit pour s'offrir une sorte de fête à lui tout seul. Et le petit Toomai s'était vu adresser la parole par Petersen Sahib! S'il n'avait pas trouvé ce qu'il cherchait, je crois qu'il aurait éclaté. Mais le marchand de confiseries du camp lui prêta un petit tam-tam (c'est un tambour que l'on bat du plat de la main), il s'assit, jambes croisées, devant Kala Nag quand les étoiles commencèrent à briller, le tam-tam sur les genoux, et il tapa, tapa et tapa encore; et plus il pensait au grand honneur qui lui avait été fait, plus il tapait, tout seul au milieu du fourrage des éléphants. Il n'y avait ni air ni paroles, mais taper le rendait heureux.

Les nouveaux éléphants tiraient sur leurs cordes, poussaient de temps à autre des cris et des barrissements, et il entendit sa mère dans la case du camp, qui endormait son petit frère en lui chantant une vieille, vieille chanson sur le grand dieu Çiva, qui a jadis prescrit à tous les animaux ce qu'ils doivent manger. C'est une berceuse très apaisante, dont voici le premier couplet :

Çiva est, dans le panthéon hindou des dieux, le dieu de la vie, de la mort et de l'ascétisme viril. Sa danse symbolise le cycle des réincarnations.

> *Çiva qui sema les moussons et fit souffler les vents,*
> *Assis au seuil d'une belle journée des anciens temps,*
> *À chacun donna sa part, vivres, labeur, destinée,*
> *Du roi trônant sur son* guddee *au mendiant à l'entrée.*
> *Il a tout donné, Çiva le Sauveur.*
> *Mahadeo! Mahadeo! Donné…*
> *Au chameau l'épineux, à la vache le pré,*
> *Un cœur de mère à ton front lourd, ô mon fils bien aimé!*

Le petit Toomai accompagna la chanson d'un joyeux tonc-et-tonc à la fin de chaque couplet, jusqu'au moment où, pris de sommeil, il s'allongea sur le fourrage à côté de Kala Nag.

Enfin les éléphants se couchèrent, l'un après l'autre, suivant leur coutume, et Kala Nag, à l'extrémité droite de leur alignement, finit par se trouver seul debout; et il se balançait doucement d'un côté et de l'autre, les oreilles tendues en avant pour écouter le vent de la nuit qui soufflait très doucement dans les montagnes. L'air était rempli de tous les bruits de la nuit qui, ensemble, font un grand silence : le choc de deux tiges de bambou l'une contre l'autre, le frou-frou de quelque chose de vivant dans les broussailles, le grattement et le cri rauque d'un oiseau à demi réveillé (les oiseaux veillent la nuit, beaucoup plus souvent qu'on ne l'imagine), une chute d'eau prodigieusement éloignée. Le petit Toomai dormit un peu et, lorsqu'il s'éveilla, le clair de lune resplendissait et Kala Nag était toujours debout, oreilles dressées. Le petit Toomai se retourna en froissant le fourrage et contempla la courbe de la grande échine qui cachait la moitié des étoiles du ciel; et, tout en regardant, il entendit, si loin que le son ne fit pas plus que l'effet d'une piqûre d'épingle dans l'épaisseur du silence, l'appel de cor d'un éléphant sauvage.

Dans leurs alignements, tous les éléphants se levèrent d'un bond, comme frappés par un coup de feu; leurs grognements finirent par réveiller les cornacs, qui sortirent, enfoncèrent les chevilles des piquets à l'aide de gros maillets, tendirent ici une corde, en nouèrent là une autre. Et tout redevint tranquille. L'un des nouveaux éléphants avait presque arraché son piquet; le grand Toomai ôta la chaîne de la patte de Kala Nag pour entraver l'autre animal, un pied de devant lié à un pied de derrière, et se contenta de glisser un cordon de fibre autour d'une patte de Kala Nag en lui disant de se rappeler qu'il était solidement attaché. Il savait que lui-même, son père et son grand-père, avaient fait exactement la même chose des centaines de fois auparavant. Kala Nag ne répondit pas à son ordre en gargouillant, comme il le faisait d'habitude. Il resta immobile, regardant au loin sous le clair de lune, la tête légèrement relevée, les oreilles déployées comme des éventails, les vastes ondulations des monts Garo.

«Occupe-toi de lui s'il s'agite pendant la nuit», dit le grand Toomai au petit Toomai.

Puis il regagna la case et s'endormit. Le petit Toomai allait s'endormir, lui aussi, lorsqu'il entendit la corde de coco se rompre avec un petit bruit sec. Et Kala Nag se dégagea lentement, silencieusement, de ses piquets, comme roule un nuage au débouché d'une vallée. Le petit Toomai se mit à trottiner derrière lui, nu-pieds sur la route, au clair de lune, appelant à voix basse :

«Kala Nag! Kala Nag! Emmène-moi, ô Kala Nag!»

L'éléphant se retourna sans bruit, fit trois pas en arrière pour rejoindre l'enfant au clair de lune, baissa la trompe, le souleva prestement, le déposa sur son dos et, sans presque lui laisser le temps de caler ses genoux, se glissa dans la forêt.

Une fanfare de barrissements furieux monta des alignements, puis le silence se referma sur toutes choses et Kala Nag se mit en marche. Parfois une touffe d'herbes hautes lui balaie les flancs comme une vague balaie les flancs d'un navire, parfois un bouquet de poivriers sauvages lui raclait toute l'échine, ou bien une tige de bambou grinçait au frôlement de son épaule; mais dans l'intervalle il se déplaçait sans le moindre bruit, avançant dans l'épaisse forêt

❝ Parfois une touffe d'herbes hautes lui balayait les flancs comme une vague balaie les flancs d'un navire, parfois un bouquet de poivriers sauvages lui raclait toute l'échine... **❞**

172

de Garo, comme à travers une fumée. Il montait, mais le petit Toomai avait beau regarder les étoiles dans les trouées du feuillage, il ne pouvait dire dans quelle direction.

Puis Kala Nag atteignit une crête et s'arrêta un moment. Le petit Toomai apercevait la cime des arbres, comme une fourrure tachetée sous le clair de lune, sur des milles et des milles, et la brume d'un blanc bleuté au-dessus de la rivière, tout au fond. Toomai se pencha en avant et regarda ; et il sentit que la forêt était éveillée au-dessous de lui ; éveillée, ardente, grouillante. Une grosse chauve-souris brune, de celles qui se nourrissent de fruits, lui frôla l'oreille ; un porc-épic fit cliqueter ses piquants dans un fourré ; et dans l'obscurité, entre les fûts, il entendit un sanglier fouiller avec ardeur la terre humide et chaude et renifler tout en fouillant.

Puis les branches se refermèrent au-dessus de lui. Kala Nag repartit lentement, puis descendit dans la vallée, non plus d'un pas tranquille, cette fois, mais comme un canon fou sur un talus abrupt, d'une seule traite. Ses membres énormes se mouvaient avec la régularité de pistons, couvrant huit pieds d'une seule enjambée, et l'on entendait le froissement de sa peau, ridée aux articulations. Les broussailles éventrées s'ouvraient de part et d'autre avec un bruit de toile déchirée ; les jeunes arbres qu'il écartait de ses épaules, à droite et à gauche, se redressaient d'un coup et lui cinglaient les flancs et, comme il lançait la tête d'un côté et de l'autre pour se frayer un passage, d'énormes guirlandes de lianes s'accrochaient à ses défenses. Alors le petit Toomai s'aplatit sur l'énorme nuque, de peur qu'une branche ballante ne le projetât à terre. Il aurait bien voulu se retrouver au camp.

L'herbe devenait spongieuse ; les pieds de Kala Nag, en se posant, faisaient des gargouillis et des bruits de ventouse. La brume nocturne, au fond de la vallée, glaça le petit Toomai. Il y eut un grand floc, un piétinement, un tumulte d'eau courante et Kala Nag s'avança dans le lit d'une rivière, tâtant du pied à chaque pas.

La chasse à dos d'éléphants peut conduire les chasseurs jusque dans les mares ou les lacs, où se réfugient les animaux traqués, familiers de l'eau.

Plus forts que le bruit de l'eau qui tourbillonnait autour des pattes de l'éléphant, le petit Toomai entendit d'autres grands flocs et quelques barrits, en amont comme en aval, de puissants grondements, des reniflements de colère. La brume, autour de lui, semblait toute pleine d'ombres ondoyantes et sinueuses.

« Oh ! fit-il, presque à voix haute et en claquant des dents. Le peuple éléphant est sur pied ce soir. Voici donc la danse. »

Kala Nag sortit de l'eau à grand bruit, se vida la trompe et se remit à monter ; mais cette fois il n'était pas seul et n'avait plus à se frayer de chemin. C'était chose faite : sur six pieds de large, droit devant lui, l'herbe de la jungle, couchée, essayait de recouvrer sa force et de se redresser. Beaucoup d'éléphants avaient dû passer par là, quelques minutes à peine auparavant. Le petit Toomai se retourna : derrière lui un énorme adulte sauvage, ses petits yeux porcins brillant comme des charbons ardents, s'extrayait des eaux de la rivière embrumée. Puis les arbres se refermèrent autour d'eux et ils poursuivirent leur ascension, au milieu des barrits, des craquements et du bruit des branches fracassées tout autour d'eux.

Enfin Kala Nag s'arrêta entre deux troncs d'arbres tout en haut de la montagne. Ils faisaient partie d'un cercle d'arbres qui délimitait un espace irrégulier d'environ trois ou quatre acres, et, sur toute cette étendue, comme le petit Toomai put le constater, le sol avait pris la dureté d'un carrelage de brique à force d'être foulé. Quelques arbres poussaient au centre de la clairière, mais leur écorce était usée et le bois blanc au-dessous apparaissait, tout luisant et poli, dans les taches de clair de lune. Des lianes retombaient des branches les plus hautes et leurs fleurs, d'énormes calices blancs et cireux semblables à des liserons, pendaient, profondément endormies ; mais dans la clairière, il n'y avait pas le moindre brin d'herbe : rien que la terre foulée.

Le clair de lune lui donnait partout une teinte gris acier, sauf aux endroits où se tenaient quelques éléphants, dont les ombres étaient noires comme l'encre. Le petit Toomai regardait, retenant son

Duveteuse et furtive en son vol, cette chauve-souris prend l'arbre pour point d'attache. Les fruits que porte celui-ci font ses délices, à tout moment. La chauve-souris vit souvent en forêt : dans un arbre creux, un tronc abattu...

souffle, les yeux exorbités; et tandis qu'il regardait, des éléphants, toujours plus nombreux, s'avançaient d'un pas rythmé dans l'espace découvert, sortant d'entre les troncs d'arbres. Le petit Toomai ne savait compter que jusqu'à dix; il compta et recompta sur ses doigts, mais finit par perdre le compte des dizaines et sa tête se mit à tourner. En dehors de la clairière il entendait le fracas des éléphants qui écrasaient les broussailles en montant péniblement la pente; mais sitôt à l'intérieur du cercle de troncs d'arbres, ils se mouvaient comme des fantômes.

66 Une grosse chauve-souris brune, de celles qui se nourrissent de fruits, lui frôla l'oreille. **99**

Il y avait des mâles sauvages aux défenses blanches, qui avaient des feuilles tombées, des noix et des brindilles dans les rides du cou et les replis des oreilles ; de grosses femelles à la démarche lente, accompagnées d'éléphanteaux turbulents à la peau d'un noir rosé et hauts de trois ou quatre pieds, qui couraient sous leur ventre ; des jeunes dont les défenses commençaient tout juste à poindre et qui en étaient très fiers ; de vieilles demoiselles décharnées, la face creuse et inquiète, la trompe rugueuse comme de l'écorce ; de vieux mâles farouches qui portaient, de l'épaule au flanc, les grandes balafres et les estafilades de combats anciens et laissaient tomber de leurs épaules la croûte qu'y avaient déposée leurs bains de boue solitaires. L'un d'entre eux, une défense brisée, avait sur le côté les marques d'un grand coup : la terrible entaille que font, en se retirant, les griffes d'un tigre.

Ils se faisaient vis-à-vis, ou allaient par paires, de long en large dans la clairière, ou encore restaient à se balancer et à se dandiner tout seuls. Des dizaines et des dizaines d'éléphants.

Toomai savait que tant qu'il resterait immobile sur le cou de Kala Nag, il ne lui arriverait rien ; car, même dans la ruée et la bousculade du rabattage vers un *keddah*, un éléphant sauvage ne lève jamais la trompe pour saisir un homme et le faire tomber du cou d'un éléphant domestiqué ; et ces éléphants ne pensaient pas aux hommes cette nuit-là. Une fois ils tressaillirent et portèrent les oreilles en avant au cliquetis d'une entrave métallique dans la forêt ; mais c'était Pudmini, l'éléphante favorite de Petersen Sahib qui, sa chaîne cassée net, gravissait la pente en grognant et en reniflant. Elle avait dû briser ses piquets et venir tout droit du camp de Petersen Sahib ; et le petit Toomai vit un autre éléphant, qu'il ne connaissait pas, dont le dos et le poitrail avaient été profondément marqués par le frottement de cordes. Il avait dû, lui aussi, s'échapper de quelque camp des montagnes alentour.

Enfin on n'entendit plus aucun éléphant marcher dans la forêt. Alors, de son pas ondoyant, Kala Nag

Les femelles ont des défenses bien plus réduites que celles des mâles, quand elles ne sont pas absentes. Il existe même des mâles qui n'en ont pas ; en Inde, la moitié du troupeau de mâles environ est dotée de défenses. Les défenses s'usent plus vite l'une que l'autre, ceci en raison de la préférence de l'animal pour la gauche ou pour la droite, comme chez l'homme.

quitta l'endroit où il se tenait, entre les arbres, pour aller se mêler à la foule, gloussant et gargouillant, et tous les éléphants commencèrent à deviser dans leur propre langue et à circuler çà et là.

Toujours couché, le petit Toomai découvrit en baissant les yeux des dizaines et des dizaines de dos larges, d'oreilles frémissantes, de trompes en mouvement, de petits yeux mobiles dans leurs orbites. Il entendit le cliquetis de défenses qui s'entrecroisaient accidentellement, le bruissement sec de trompes entrelacées, le frottement de flancs et d'épaules énormes dans la foule, tandis que les grandes queues claquaient et sifflaient sans cesse. Puis un nuage cacha la lune et ce fut la nuit noire; mais les éléphants n'en continuèrent pas moins à se pousser, à se presser les uns contre les autres, à émettre leurs gargouillements au même rythme tranquille et régulier. Le petit Toomai savait que Kala Nag était complètement entouré et qu'il n'y avait aucune chance de sortir à reculons de cette assemblée : il serra les dents et fut pris d'un frisson. Dans un *keddah* il y avait au moins la lumière des torches et les cris; mais ici, il était tout seul dans les ténèbres et, une fois, une trompe dressée vint lui toucher le genou.

On a remarqué quelques rares fois que des troupes d'éléphants semblent effectuer une danse rituelle. Les bêtes tournent de façon étrange, battent des oreilles, remuent leur trompe. Les hypothèses sont nombreuses sur le sens de ce comportement social. Car on a pu constater, sur les lieux de cette surprenante cérémonie, les marques d'un piétinement prononcé et d'une usure très accusée de l'herbe au sol.

Alors un éléphant poussa un barrissement que tous les autres reprirent durant cinq à dix terribles secondes. La rosée tomba des arbres à grosses gouttes, comme de la pluie, sur leurs dos invisibles, et un grondement sourd s'éleva, peu prononcé d'abord, que le petit Toomai ne put reconnaître; mais ce bruit monta, monta, et Kala Nag se mit à soulever un pied de devant, puis l'autre, puis à les reposer sur le sol, un, deux; un, deux, avec la régularité de marteaux à bascule. Maintenant les éléphants frappaient des pieds tous ensemble et cela résonnait comme un roulement de tambour de guerre à l'entrée d'une caverne. La rosée tomba des arbres jusqu'à la dernière goutte et le grondement continua; le sol, ébranlé, tremblait et le petit Toomai se mit les mains aux oreilles pour ne plus entendre. Mais alors une unique et gigantesque trépidation le transperça de part en part : le martèlement de centaines de pieds sur la terre dénudée. Une fois ou deux il sentit que Kala Nag et tous les autres faisaient quelques pas en avant : aux coups sourds succédait le broiement de végétaux pleins de sève; mais au bout d'une ou deux minutes le grondement des pieds sur la terre dure reprenait. Un arbre grinçait et gémissait quelque part près de lui. Il étendit le bras, toucha l'écorce, mais Kala Nag avança, toujours piétinant. L'enfant ne savait pas en quel point de la clairière il se trouvait. Aucun bruit ne lui parvenait plus des éléphants. Une fois seulement, deux ou trois petits poussèrent ensemble un vagissement. Alors il entendit un coup sourd, un frottement de pieds et le grondement reprit. Il dura bien deux bonnes heures et le petit Toomai était tout endolori; mais il savait à l'odeur de l'air de la nuit que l'aurore était proche.

Le jour parut, nappe jaune pâle derrière le vert des montagnes, et le grondement cessa avec le premier rayon, comme si la lumière avait été un ordre. Le bruit résonnait encore dans sa tête et le petit Toomai n'avait même pas encore changé de position qu'il ne restait plus en vue un seul éléphant, excepté Kala Nag, Pudmini et celui qui portait des marques de corde; et nul signe, ni bruissement, ni murmure, sur les pentes, n'indiquait où les autres s'en étaient allés.

Le petit Toomai regarda et regarda encore, les yeux écarquillés. La clairière, autant qu'il s'en souvenait, s'était agrandie pendant la nuit. Les arbres, au centre, étaient plus nombreux, mais sur le pourtour les broussailles et les fourrés avaient reculé. Le petit Toomai regarda une fois encore. Il comprenait maintenant tous ces battements de pied. Les éléphants avaient agrandi l'espace piétiné : à force de les fouler, ils avaient réduit l'herbe drue et les cannes juteuses en bagasse, celle-ci en petits fragments, ces fragments en fibres menues et ces fibres en terre compacte.

« Wah ! fit le petit Toomai, dont les paupières étaient bien lourdes. Messire Kala Nag, suivons Pudmini et allons au camp de Petersen Sahib, sinon je vais tomber de ton cou. »

Le troisième éléphant regarda partir les deux autres, renâcla, fit demi-tour et s'en fut par son propre chemin. Il faisait peut-être partie de la maison de quelque roitelet indigène, à cinquante, soixante ou cent milles de là.

Une troupe d'éléphants en marche connaît peu d'obstacles infranchissables, même en terrain escarpé.
Le pas normal est de 4 à 6 kilomètres par heure. En cas de nécessité pressante, il peut se maintenir à 10 kilomètres par heure mais rarement pendant plus de deux heures. Si d'aventure l'éléphant se trouve en difficulté, les animaux de la troupe se montrent solidaires. Pour sauver un éléphanteau enlisé, une mère peut risquer sa vie afin de le dégager.

66 La clairière, autant qu'il s'en souvenait, s'était agrandie pendant la nuit. Les arbres, au centre, étaient plus nombreux, mais sur le pourtour, les broussailles et les fourrés avaient reculé. **99**

Deux heures plus tard, comme Petersen Sahib prenait son petit déjeuner, les éléphants, dont les chaînes avaient été doublées cette nuit-là, se mirent à barrir : Pudmini, crottée jusqu'aux épaules, et Kala Nag, les pieds tout endoloris, entrèrent d'un pas traînant dans le camp.

Le petit Toomai avait le visage blême et les traits tirés ; il avait les cheveux pleins de feuilles et trempés de rosée ; mais il essaya de saluer Petersen Sahib et s'écria d'une voix défaillante :

« La danse… La danse des éléphants ! Je l'ai vue et… je meurs ! » Comme Kala Nag s'accroupissait, il se laissa glisser de son cou, sans connaissance. Mais, les enfants indigènes n'ayant pour ainsi dire pas de nerfs, au bout de deux heures il se retrouva allongé, tout content, dans le hamac de Petersen Sahib, la veste de chasse du même Petersen Sahib sous la tête, un verre de lait chaud et un peu d'eau-de-vie, additionnés d'une pointe de quinine, dans l'estomac. Alors, tandis que les vieux chasseurs de la jungle, hirsutes et couturés, assis sur trois rangs devant lui, le regardaient comme un revenant, il raconta son aventure en termes concis, à la manière des enfants, et conclut en disant :

Scène de la vie quotidienne en Inde : un colon britannique se fait offrir son thé par un serviteur indigène.

« Maintenant, si je mens d'un seul mot, envoyez des hommes là-bas. Ils verront que les éléphants, en piétinant, ont agrandi leur salle de bal et ils verront des traces, par dix, plusieurs fois dix, conduisant à la salle de bal. Ils se sont fait plus de place avec leurs pieds. J'ai tout vu. Kala Nag m'a emmené et j'ai vu. D'ailleurs Kala Nag a les jambes bien fatiguées ! »

Le petit Toomai se laissa retomber en arrière et dormit tout un long après-midi, jusqu'après le début du crépuscule ; et pendant qu'il dormait Petersen Sahib et Machua Appa suivirent la trace des deux éléphants dans les montagnes, sur une distance de quinze milles. Petersen Sahib avait passé dix-huit ans de sa vie à capturer des éléphants, mais n'avait qu'une fois jusque-là découvert pareille salle de bal. Machua Appa n'eut pas besoin de regarder deux fois la clairière pour comprendre ce qui s'y était passé, ni de gratter de l'orteil la terre battue et damée.

« Ce gosse dit vrai, fit-il. Tout cela date de la nuit dernière et j'ai dénombré soixante-dix pistes franchissant la rivière. Voyez, Sahib, où l'entrave de Pudmini a arraché l'écorce de cet arbre ! Oui, elle est venue ici, elle aussi. »

Ils échangèrent un regard, puis levèrent et baissèrent les yeux, étonnés ; car les coutumes des éléphants dépassent ce que l'esprit de l'homme, noir ou blanc, peut pénétrer.

« Quarante-cinq ans durant, dit Machua Appa, j'ai suivi messire l'éléphant mais, autant que je sache, jamais enfant d'homme n'avait encore vu ce qu'a vu cet enfant. Par tous les dieux des montagnes, c'est... Que dire ? »

Et il secoua la tête.

Contrairement à ses congénères d'Afrique, le rhinocéros d'Asie n'est doté que d'une seule corne. Sa carapace, rugueuse et épaisse, a un aspect sculptural.

Lorsqu'ils revinrent au camp, c'était l'heure du repas du soir. Petersen Sahib mangea seul sous sa tente, mais il ordonna de distribuer aux hommes du camp deux moutons et quelques volailles, ainsi qu'une double ration de farine, de riz et de sel, car il savait qu'il allait y avoir des réjouissances.

Le grand Toomai était monté dare-dare du camp de la plaine en quête de son fils et de son éléphant ; mais maintenant qu'il les avait trouvés, il les regardait comme si tous deux lui faisaient peur. Il y eut des réjouissances autour des feux de camp qui flambaient devant les alignements d'éléphants attachés à leurs piquets, et le petit Toomai en fut le héros. Les chasseurs d'éléphants, grands, à la peau brune, les dépisteurs, conducteurs et lanceurs de cordes, et ceux qui connaissent tous les secrets de l'art de dompter les éléphants les plus farouches, se le passèrent de l'un à l'autre et lui marquèrent le front avec le sang d'un coq sauvage fraîchement tué, pour montrer que c'était un forestier, un initié qui avait droit de cité dans toutes les jungles.

Enfin, lorsque les flammes s'éteignirent et que le rougeoiement des bûches donna aux éléphants l'air d'avoir été, eux aussi, trempés dans du sang, Machua Appa, chef de tous les conducteurs de tous les *keddah*, Machua Appa, l'alter ego de Petersen Sahib, qui en quarante ans n'avait jamais vu de route empierrée, Machua Appa, si grand qu'il n'avait pas d'autre nom que Machua Appa, se leva d'un bond en tenant le petit Toomai à bout de bras au-dessus de sa tête et cria : «Écoutez-moi, frères. Écoutez, vous aussi, messires des alignements, car c'est moi, Machua Appa, qui parle! Désormais ce petit ne s'appellera plus le petit Toomai, mais Toomai des Éléphants, comme son arrière-grand-père avant lui. Ce que jamais homme n'a vu, il l'a vu toute la longue nuit durant : la faveur du peuple des éléphants et des dieux des jungles l'accompagne. Il deviendra un grand dépisteur; il deviendra plus grand que moi, oui, que moi, Machua Appa! Il suivra la piste fraîche, la piste ancienne et celle qui est entre les deux, d'un œil sûr! Il ne lui sera fait aucun mal dans le *keddah* quand il courra sous le ventre des adultes sauvages avec la corde pour les attacher; et s'il glisse devant un mâle en train de charger, ce mâle le reconnaîtra et ne l'écrasera pas. Aïhaï! Messires qui êtes dans les chaînes (il passa en courant devant les piquets), voici le petit qui vous a vus danser dans vos repaires secrets, spectacle que jamais homme n'a vu! Rendez-lui les honneurs, messires! *Salaam karo*, mes enfants! Saluez Toomai des Éléphants! Gunga Pershad, aha! Hira Guj, Birchi Guj, Kuttar Guj, aha! Pudmini, toi qui l'as vu pendant la danse, et toi aussi, Kala Nag, perle de mes éléphants! aha! Tous en chœur! À Toomai des Éléphants. *Barrao!* »

Les éléphants raffolent de l'eau. L'animal aspire le liquide dont il remplit sa trompe puis il le laisse couler dans sa gorge. Souvent, après avoir bu, l'éléphant patauge dans la mare et s'asperge avec sa trompe. Ou encore il se roule dans la boue dont il ressort avec une carapace qui le protège des piqûres d'insectes. Pourtant, cet animal ne transpire pas. La déperdition de chaleur se fait chez lui par la bouche.

Au signal de ce cri sauvage, sur toute la ligne, tous les éléphants levèrent la trompe jusqu'au front et tous entonnèrent le grand salut, le concert fracassant de barrits que le vice-roi des Indes est seul à entendre, le *salaamut* du *keddah*.

Mais c'était uniquement en l'honneur du petit Toomai, qui avait vu ce que jamais homme n'avait encore vu, la danse des éléphants, la nuit, tout seul, au cœur des monts Garo!

“ ... tous les éléphants levèrent la trompe jusqu'au front et tous entonnèrent le grand salut, le concert fracassant de barrits que le vice-roi des Indes est seul à entendre : le *salaamut* du *keddah*. ”

ÇIVA ET LA SAUTERELLE
(CHANSON DE LA MÈRE DE TOOMAI À SON BÉBÉ)

Çiva, qui sema les moissons et fit souffler les vents,
Assis au seuil d'une belle journée des anciens temps,
À chacun donna sa part, vivres, labeur, destinée,

Du roi trônant sur son *guddee* au mendiant à l'entrée.
Il a tout donné, Çiva le Sauveur.
Mahadeo! Mahadeo! Donné…
Au chameau l'épineux, à la vache le pré;
Un cœur de mère à ton front lourd, ô mon fils bien aimé.

Au riche il donna le froment, au pauvre le millet;
Aux saints qui vont mendiant des reliefs de mets;
Bétail au tigre et charogne au milan,
Os et lambeaux, la nuit hors des murs, au loup méchant.
Rien à ses yeux n'était trop noble et nul trop dépravé…
Parbati près de lui les vit venir et s'en aller,
Pensa berner l'époux, tourner en dérision Çiva,
Prit la petite sauterelle et dans son sein la cela.
Le voici joué, Çiva le sauveur.
Mahadeo! Mahadeo! Veux-tu bien regarder!
Le chameau est très grand, le bétail lourd au pré,
Mais cette bête est minuscule, ô mon fils bien aimé.

Le partage étant fait, Parbati, rieuse, lui dit :
« Maître, parmi ces mille bouches à nourrir, pas un oubli? »
Çiva, riant, lui répondit : « À chacun sa part est donnée,
À la petite aussi, contre ton cœur dissimulée. »
Alors elle l'ôta de son sein, Parbati la voleuse,
Et vit sur un bourgeon la petite rongeuse,
La vit, prit peur, et s'ébahit tout en priant Çiva,
Qui, certes, à tout ce qui vit sa pitance accorda.
Il a tout donné, Çiva le Sauveur.
Mahadeo! Mahadeo! Donné…
Au chameau l'épineux, à la vache le pré;
Un cœur de mère à ton front lourd, ô mon fils bien aimé.

AU SERVICE DE SA MAJESTÉ

Vérifiez par les fractions, ou
la règle de trois simplement :
La façon de Blanc bonnet n'est
pas celle de Bonnet blanc.
Tortillez et tournez-la, jusqu'à en tomber
mort tressez-la :
La façon de Laridon n'est pas celle
de Larida.

66 ... un camp de trente
mille hommes et de
milliers de chameaux,
d'éléphants, de chevaux,
de bœufs et de
mulets... **99**

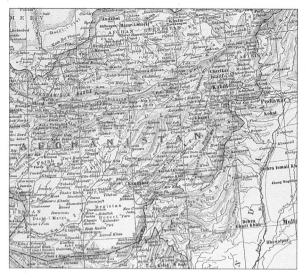

L'Afghanistan fut le théâtre d'une intense rivalité entre la Russie et la Grande-Bretagne au cours de la seconde moitié du XIXe siècle. Il ne fit jamais partie de l'Empire britannique mais relevait d'une sphère d'influence anglaise: il existait un résident anglais à Kaboul. En mai 1885, Abd ur-Rahman Khan, émir de Kaboul, assiste au *durbar* (grande parade) organisé en son honneur par lord Dufferin, vice-roi des Indes (ci-dessous), au camp de Rawalpindi – aujourd'hui au Pakistan. Kipling, alors journaliste, est envoyé sur place : le souvenir de cette visite lui inspira le récit *Au service de Sa Majesté.*

Il pleuvait à verse depuis un mois entier : il pleuvait sur un camp de trente mille hommes et de milliers de chameaux, d'éléphants, de chevaux, de bœufs et de mulets, tous assemblés en un lieu appelé Rawalpindi, pour y être passés en revue par le vice-roi de l'Inde. Le vice-roi recevait la visite de l'émir d'Afghanistan, souverain farouche d'un pays très farouche, et l'émir était accompagné d'une garde du corps de huit cents hommes avec leurs chevaux, qui n'avaient jamais vu de camp ni de locomotive de leur vie, des hommes sauvages et des chevaux sauvages, nés quelque part au fond de l'Asie centrale. Toutes les nuits, immanquablement, une bande de ces chevaux brisait ses entraves, se précipitait d'un bout à l'autre du camp, dans la boue et dans l'obscurité, ou bien les chameaux rompaient leurs liens, couraient en tous sens et trébuchaient dans les cordes des tentes : vous imaginez quel agrément c'était là pour des hommes qui essayaient de dormir. Ma tente se trouvait loin du secteur réservé aux chameaux et je la croyais à l'abri ; mais une nuit un homme passa tout à coup la tête à l'intérieur et s'écria :

« Sortez vite ! Ils viennent ! Ma tente est par terre ! »

Je savais qui ce « ils » désignait. Je mis mes bottes et mon imperméable et me précipitai dehors, dans la gadoue. La petite Vixen, mon fox-terrier, sortit de l'autre côté ; puis j'entendis gronder, grogner, blatérer, et je vis ma tente s'affaisser, son mât brisé net, et se mettre à danser comme un spectre dément. Un chameau s'y était empêtré et j'avais beau être mouillé et furieux, je ne pus m'empêcher de rire. Puis je me remis à courir, parce que je ne savais pas combien de chameaux avaient pu s'échapper, et je fus bientôt hors de vue du camp, progressant péniblement dans la boue.

Je finis par trébucher sur la flèche d'un canon et je sus ainsi que j'étais quelque part près du cantonnement des artilleurs, là où l'on parquait les canons pour la nuit. Ne voulant point traîner plus longtemps dans la bruine et dans l'obscurité, je mis mon imperméable sur la bouche d'un des canons, me fis une sorte de wigwam à l'aide de deux ou trois refouloirs que j'avais trouvés là et m'étendis le long de la flèche d'un autre canon, en me demandant où était passée Vixen et où je pouvais bien être moi-même.

Alors que je me préparais à dormir j'entendis un tintinnabulement de harnais, un grognement, et un mulet passa devant moi en secouant ses oreilles mouillées. Il appartenait à une batterie de canons démontables, car je perçus le bruit des courroies, anneaux, chaînes et autres objets qu'il portait sur son bât. Les canons démontables sont de coquettes petites pièces faites de deux parties que l'on visse ensemble au moment de s'en servir. On les transporte en montagne,

66 ... je vis ma tente s'affaisser, son mât brisé net, et se mettre à danser comme un spectre dément. Un chameau s'y était empêtré... **99**

187

Ami et admirateur de Kipling, l'écrivain français André Maurois écrivit en 1932 à son propos : «Kipling a créé la Jungle et l'Empire britannique, la panthère Bagheera et le soldat Mulvaney. À l'intérieur de l'Empire comme hors cet Empire, des millions d'hommes pensent autrement, parlent autrement qu'ils n'auraient fait si Kipling n'avait pas écrit.»

66 Le chameau se plia en deux, comme une règle de poche, et baraqua en geignant.**99**

partout où un mulet peut passer, et ils rendent de grands services pour combattre en terrain rocailleux.

Derrière le mulet venait un chameau dont les grands pieds mous faisaient un flic-flac de ventouse et glissaient dans la boue, et qui balançait le cou d'avant en arrière, comme une poule égarée. Heureusement je connaissais assez bien le langage des bêtes (non pas des bêtes sauvages, mais des bêtes de camp, naturellement, que m'avaient appris les indigènes) pour comprendre ce qu'il disait.

Ce devait être celui qui s'était affalé sur ma tente, car il interpella le mulet : « Que faire ? Où aller ? Je viens de me battre avec une chose blanche qui s'agitait ; et elle a pris un bâton et m'a frappé au cou (c'était le mât brisé de ma tente et je fus très heureux de l'apprendre). On file plus loin ?

– Oh! c'est toi, répondit le mulet, toi et tes amis qui avez semé le désordre dans le camp ? Très bien. Cela te vaudra des coups demain matin ; mais je ferais aussi bien de te donner tout de suite un acompte. » J'entendis cliqueter le harnais, et le mulet, reculant, décocha dans les côtes du chameau deux ruades qui résonnèrent comme sur un tambour. « La prochaine fois tu t'abstiendras de te jeter sur une batterie de mulets, la nuit, en criant : "Au voleur! au feu!". Accroupis-toi et tiens ton idiot de cou tranquille. »

Le chameau se plia en deux à la façon des chameaux, comme une règle de poche, et baraqua en geignant. On entendit dans l'obscurité un bruit rythmé de sabots et un gros cheval de cavalerie arriva, tenant un petit galop aussi régulier qu'à la parade, sauta par-dessus la flèche d'un canon et retomba près du mulet.

« C'est une honte, dit-il en chassant l'air de ses naseaux. Ces chameaux ont encore mis la pagaille dans nos quartiers : pour la troisième fois en une semaine. Comment un cheval peut-il garder la forme si on l'empêche de dormir. Qui va là?

– Je suis le mulet de culasse, canon numéro 2, 1re batterie de démontables, répondit le mulet, et l'autre est un de vos amis. Il m'a réveillé aussi. Et vous, qui êtes-vous?

– Numéro 15, 5e escadron, 9e lanciers : cheval de Dick Cunliffe. Un peu de place, je vous prie.

– Oh! mille excuses, fit le mulet. Il fait si noir qu'on n'y voit guère. Ces chameaux sont au-dessous de tout! Je suis sorti de mon campement pour chercher un peu de calme et de tranquillité ici.

– Messeigneurs, dit humblement le chameau, nous avons fait de mauvais rêves cette nuit et nous avons eu très peur. Je ne suis qu'un chameau de somme du 39e régiment d'infanterie indigène et je n'ai pas votre bravoure, messeigneurs.

– Mais alors, nom d'un piquet, pourquoi ne pas rester à porter les bagages du 39e d'infanterie indigène, au lieu de courir dans tout le camp? demanda le mulet.

– C'étaient de si mauvais rêves, répondit le chameau. Je vous demande pardon. Écoutez! Qu'est-ce? On se remet à courir?

– Assis, dit le mulet, ou tu vas rompre tes longues jambes entre les canons. » Il dressa une oreille, attentif. «Des bœufs! fit-il. Des bœufs de batterie. Ma parole, toi et tes amis, vous avez réveillé le camp pour de bon. Il faut joliment aiguillonner un bœuf de batterie pour le mettre sur ses jambes. »

J'entendis une chaîne traîner au sol, et un attelage de ces énormes bœufs blancs à l'air morose qui tirent la grosse artillerie de siège quand les éléphants refusent d'approcher davantage du feu arriva, épaule contre épaule; et, marchant presque sur la chaîne, suivait un autre mulet de batterie, qui criait éperdument : «Billy! ».

« Une de nos recrues, dit le vieux mulet au cheval de cavalerie. C'est moi qu'il appelle. Allons, le jeune, assez crié. L'obscurité n'a encore jamais fait de mal à personne. »

Les bœufs de batterie se couchèrent côte à côte et se mirent à ruminer; mais le jeune mulet se blottit contre Billy.

« De ces choses ! dit-il. Des choses effrayantes et horribles, Billy ! Elles ont pénétré dans notre campement pendant que nous dormions. Penses-tu qu'elles vont nous tuer ?

– J'ai bien envie de t'administrer quelques coups de pied carabinés, répondit Billy. Qu'un mulet de quatorze paumes, formé comme tu l'es, déshonore la batterie devant ce monsieur !

– Tout doux, tout doux ! fit le cheval de cavalerie. Rappelez-vous qu'ils sont toujours comme cela au début. La première fois que j'ai vu un homme (c'était en Australie et j'avais trois ans), j'ai couru toute une demi-journée et si j'avais vu un chameau, je courrais encore. »

Presque tous les chevaux de notre cavalerie anglaise en Inde sont importés d'Australie, et ce sont les cavaliers eux-mêmes qui les dressent.

« Très juste, dit Billy. Assez tremblé, le jeune. La première fois qu'on m'a mis le harnais complet, avec toutes ses chaînes, sur le dos, je me suis dressé sur les pattes de devant, j'ai rué et tout jeté à terre. J'ignorais encore presque tout de l'art de ruer, mais ceux de la batterie dirent qu'ils n'avaient jamais rien vu de pareil.

– Mais ce n'était ni un harnais, ni rien qui résonne. Vous savez que cela ne me fait plus rien, Billy. C'étaient des choses comme des arbres, et elles tombaient d'un bout à l'autre du campement en faisant entendre des gargouillis ; mon licol s'est cassé ; je n'ai pas pu trouver mon conducteur, et je n'ai pas pu vous trouver, Billy ; alors je me suis enfui avec… avec ces messieurs.

– Hum ! fit Billy. Dès que j'ai su que les chameaux s'étaient échappés, je suis parti de ma propre initiative, tranquillement. Pour qu'un mulet de batterie… ou, plutôt, de canon démontable, appelle des bœufs de batterie messieurs, il faut qu'il ait été sérieusement touché. Qui êtes-vous donc, vous autres, à terre ? »

Les bœufs retournèrent le bol dans leur bouche et répondirent d'une seule voix :

« 7e attelage, 1re pièce de la batterie de grosse artillerie. Nous dormions quand les chameaux sont arrivés, mais lorsqu'on s'est mis à nous piétiner, nous nous sommes levés et nous sommes partis. Mieux vaut reposer tranquilles dans la boue que d'être dérangés sur une bonne litière. Nous avons dit à votre ami ici présent qu'il n'y avait rien à craindre, mais il est si savant qu'il a exprimé un autre avis. Ouah ! »

Ils continuèrent à ruminer.

« Voilà ce qui arrive quand on a peur, dit Billy. On devient la risée de bœufs de batterie. J'espère que cela te convient, blanc-bec. »

Les chevaux sauvages que les colons anglais chassaient et capturaient vivaient dans les vastes territoires du Queensland australien. Ces étalons magnifiques étaient ensuite livrés à l'intendance militaire pour être incorporés dans la prestigieuse cavalerie de l'Indian Army, notamment les célèbres lanciers du Bengale.

Le jeune mulet fit claquer ses dents, et je l'entendis dire quelque chose comme quoi il n'avait peur d'aucun vieux patapouf de bœuf ; mais les bœufs se contentèrent d'entrechoquer leurs cornes et continuèrent de ruminer.

« Allons, pas de colère sur la peur. C'est la pire des couardises, dit le cheval de cavalerie. Il est toujours pardonnable, à mon avis, d'avoir peur la nuit, quand on voit quelque chose que l'on ne comprend pas. Nous nous sommes échappés de

Suivant la plus pure tradition britannique, les sports étaient à l'honneur dans l'armée des Indes. Dans la cavalerie, les exercices les plus prisés étaient le *pig-sticking* (chasse au sanglier à la lance) et le *peg*. Dans cette épreuve, un cavalier lancé au grand galop devait percer de sa lance et déraciner une cheville de bois fichée en terre (ci-dessus, le major Neville Chamberlain).

Ci-dessous, un cavalier *(sowar)* du Ier Régiment du Pendjab en uniforme de parade, coiffé d'un turban à aigrette et armé d'un sabre damasquiné.

nos piquets, à maintes reprises, quatre cent cinquante d'entre nous, uniquement parce qu'une jeune recrue s'était mise à raconter des histoires de serpents-fouets, chez nous en Australie, au point que nous mourions de peur à la seule vue du bout libre de notre licol.

– Tout ça, c'est très bien au camp, dit Billy. Je ne me refuse pas à une débandade, moi-même, pour le plaisir, après être resté un jour ou deux sans sortir. Mais que faites-vous en campagne ?

– Oh ! ça, c'est une tout autre ferrure, répondit le cheval. Dans ce cas, j'ai Dick Cunliffe sur le dos et il m'enfonce les genoux dans les flancs : tout ce que j'ai à faire, c'est de bien regarder où je mets le pied, de maintenir les jambes de derrière sous le corps et de savoir obéir à la bride.

– Qu'est-ce que cela, obéir à la bride ? dit le jeune mulet.

– Par le gommier bleu du fin fond de l'Australie, dit le cheval d'un air dédaigneux, voulez-vous dire qu'on ne vous apprend pas à obéir à la bride dans votre métier ? Comment pouvez-vous être bons à quoi que ce soit si vous ne savez faire immédiatement volte-face, quand vous sentez une rêne vous presser l'encolure ? C'est une question de vie ou de mort pour votre homme et, naturellement, de vie ou de mort pour vous aussi. Faites demi-tour, avec les jambes de derrière sous le corps dès que vous sentez la rêne sur l'encolure. Si vous n'avez pas la place de vous retourner, cabrez-vous légèrement et pivotez sur les jambes de derrière. Voilà ce que signifie obéir à la bride.

– Ce n'est pas ce qu'on nous enseigne, rétorqua Billy le mulet avec raideur. On nous apprend à obéir à l'homme qui nous conduit : halte à son commandement ; en avant à son commandement. Je suppose que cela revient au même. Mais voyons, toutes ces belles manœuvres et figures de carrousel, qui doivent être très mauvaises pour vos jarrets, à quoi vous servent-elles en fait ?

– Ça dépend, répondit le cheval de cavalerie. En général je dois charger au milieu d'une foule hurlante d'hommes hirsutes, armés de couteaux, de longs couteaux luisants, plus terribles que les couteaux du maréchal-ferrant, et je dois veiller à ce que la botte de Dick touche celle de son voisin, sans appuyer. J'aperçois la lance de Dick à droite de mon œil droit et je me sais en sécurité. Je n'aimerais pas être l'homme ou le cheval qui voudrait nous arrêter, Dick et moi, lorsque nous sommes pressés.

– Mais les couteaux doivent vous faire mal, dit le jeune mulet.

– Ma foi, j'ai reçu une estafilade au poitrail, une fois, mais ce n'était pas la faute de Dick...

– Je me serais bien soucié de savoir de qui c'était la faute, du moment que cela me faisait mal! fit le jeune mulet.

– Erreur, répondit le cheval de cavalerie. Si l'on n'a pas confiance en son homme, autant décamper tout de go. C'est ce que font certains de nos

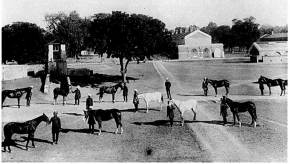

chevaux et je ne leur en fais pas reproche. Comme je le disais, ce n'était pas la faute de Dick. L'homme gisait au sol : j'ai allongé la foulée pour ne pas le piétiner et il m'a frappé d'en dessous. La prochaine fois qu'il me faudra passer sur un homme à terre, je lui poserai le pied dessus, et fort!

Orgueil de l'armée, les chevaux australiens faisaient l'objet des soins les plus attentifs et d'un dressage rigoureux. Ils prenaient ensuite place dans les différents corps de cavalerie. Ci-dessus, la cour d'un haras au Pendjab.

– Hum! fit Billy, cela me semble bien absurde. Les couteaux sont de sales instruments, en toutes circonstances. Ce qu'il faut faire, c'est escalader une montagne avec un bât bien équilibré, se cramponner des quatre membres et des oreilles aussi, progresser pas à pas en se faisant tout petit, pour déboucher enfin, dominant tout le monde de plusieurs centaines de pieds, sur une vire où l'on a tout juste assez de place pour poser les sabots. Alors on s'immobilise en silence (ne songe même pas à demander qu'un homme te tienne la tête, blanc-bec), en silence tandis qu'on assemble les canons, après quoi on regarde les petits obus tomber dans la cime des arbres en faisant boum, loin, très loin au-dessous.

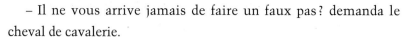

– Il ne vous arrive jamais de faire un faux pas ? demanda le cheval de cavalerie.

– On dit que lorsqu'un mulet fera un faux pas on pourra fendre les oreilles des poules, répondit Billy. De temps à autre, il se peut, c'est possible, qu'un bât mal chargé fasse perdre l'équilibre à un mulet, mais c'est très rare. J'aimerais vous montrer ce que nous faisons. C'est magnifique. Pensez qu'il m'a fallu trois ans pour comprendre où les hommes voulaient en venir. La science du métier consiste à ne jamais se profiler contre le ciel, car autrement vous risquez de servir de cible. Rappelle-toi cela, blanc-bec. Reste toujours à couvert, autant que possible, même s'il te faut faire un mille de détour. C'est moi qui guide la batterie quand on en vient à ce genre d'escalade.

– Servir de cible sans pouvoir fondre sur ceux qui vous tirent dessus ! dit le cheval, en réfléchissant fort. Je ne pourrais pas supporter cela. J'aurais envie de charger, avec Dick.

– Mais non. Vous sauriez que, sitôt en position, ce sont les canons qui s'occupent de donner la charge. C'est scientifique et propre ; mais des couteaux… Pouah ! »

Le chameau balançait la tête d'avant en arrière depuis quelque temps, impatient de placer un mot. Puis je l'entendis déclarer, après s'être éclairci la gorge, et d'un ton craintif :

« J'ai… j'ai… j'ai fait un peu la guerre, mais ce n'était ni en grimpant, ni en courant comme cela.

– Bien sûr. D'ailleurs, puisque tu en parles, tu n'as pas l'air d'être fait pour grimper ou courir… Pas beaucoup. Alors, comment ça se passait, vieille balle de foin ?

– Comme il le faut, répondit le chameau. Nous nous accroupissions tous…

– Oh ! par ma croupière et ma bricole ! dit le cheval à voix basse. S'accroupir !

– Nous nous accroupissions en formant un grand carré ; les hommes empilaient nos selles et nos bâts à l'extérieur du carré et tiraient par-dessus notre dos, mais oui, de tous les côtés du carré.

La sécurité de l'Inde exige le contrôle des cols de la frontière de l'Hindou-Kouch. Ci-dessus, une vision fantasmagorique de la passe de Khaïbar (ou Khyber).

Dans les convois de l'armée des Indes en déplacement, les mulets de l'intendance transportent les fusils de rechange tandis que les chameaux portent les tentes de campagne.

– Quelle sorte d'hommes ? Les premiers venus ? demanda le cheval. On nous apprend au manège à nous coucher et à laisser notre maître tirer par-dessus nous, mais Dick Cunliffe est le seul à qui je me fierais pour cela. Je ressens des chatouilles là où passent les sangles et, en outre, je ne vois rien avec la tête au sol.

– Que vous importe qui tire par-dessus vous ? dit le chameau. Il y a beaucoup d'hommes et beaucoup d'autres chameaux tout près, et quantité de nuages de fumée. Alors, je n'ai pas peur. Je reste immobile et j'attends.

❝ Double-Queue lance son coup de trompette… ❞

– Et pourtant, dit Billy, tu fais de mauvais rêves et tu mets le camp sens dessus dessous la nuit. Eh bien, dis donc ! Avant que je me couche, pour ne rien dire de m'accroupir, et que je laisse un homme tirer par-dessus mon corps, mes talons et sa tête auraient quelques mots à se dire. A-t-on jamais entendu parler d'une chose aussi abominable ? »

Il y eut un long silence ; puis l'un des bœufs leva sa grosse tête et dit :

« Tout cela est en vérité bien absurde. Il n'y a qu'une façon de se battre.

– Oh ! Vas-y, parle, dit Billy. Je t'en prie, ne te gêne surtout pas pour moi. J'imagine que vous vous battez, vous autres, dressés sur la queue ?

– Qu'une seule façon, reprirent les deux bœufs en chœur (ce devait être des jumeaux). Et la voici : on attelle

les vingt paires que nous sommes au gros canon dès que Double-Queue lance son coup de trompette (Double-Queue désigne, en argot de camp, l'éléphant).

– Pourquoi Double-Queue donne-t-il de la trompette ? demanda le jeune mulet.

– Pour avertir qu'il ne fera pas un pas de plus vers la fumée, en face. Double-Queue est un grand poltron. Alors nous tirons le gros canon tous ensemble : Heya… Hullah ! Heeyah ! Hullah ! Nous, nous ne grimpons pas comme des chats et nous ne courons pas comme des veaux. Nous cheminons dans la plaine unie, vingt attelages à la fois, jusqu'à ce qu'on nous dételle de nouveau. Alors nous broutons pendant que les gros canons parlent à travers la plaine à quelque ville aux murs de terre, que des pans de murs s'écroulent et que la poussière s'élève, comme si un grand troupeau rentrait à l'étable.

– Oh ! et c'est ce moment-là que vous choisissez pour brouter ? dit le jeune mulet.

L'armée anglaise utilisait, pour ses transports et les mouvements de troupes, sur l'immense territoire qu'elle contrôlait, de très nombreux animaux de trait ou de charge : chevaux, mulets, chameaux, bœufs à bosse et éléphants. Elle comptait dans ses rangs toutes sortes d'auxiliaires : bouviers, chameliers et cornacs à qui était confiée la conduite de ses trains d'intendance. Ne pouvant s'appuyer sur le pays pour assurer sa subsistance, la troupe devait emporter ses vivres, armes et bagages. Ici, un conducteur de bœufs attelés à un lourd chariot chargé de tentes pour les bivouacs.

66 … les gros canons parlent à travers la plaine à quelque ville aux murs de la terre… 99

– Ce moment-là ou n'importe quel autre. Manger est toujours bon. Nous mangeons jusqu'à ce qu'on nous remette le joug pour ramener le canon là où Double-Queue l'attend. Parfois il y a dans la ville de gros canons qui répondent et quelques-uns d'entre nous se font tuer ; mais alors ceux qui restent n'en ont que plus à brouter. C'est le destin, uniquement le destin. Il n'empêche, Double-Queue est un grand poltron. Voilà la bonne façon de se battre. Nous sommes frères, nous venons de Hapur. Notre père était taureau sacré de Çiva. Nous avons dit.

– Eh bien ! J'en ai appris de belles ce soir, dit le cheval de cavalerie. Est-ce que vous autres, messieurs de la batterie de canons démontables, vous sentez d'humeur à manger quand vous êtes sous le feu de gros canons et que Double-Queue se trouve derrière vous ?

– Autant, à peu près, que nous nous sentons d'humeur à nous accroupir pour laisser des hommes se vautrer sur nous, ou à fondre sur des gens armés de couteaux. Je n'avais jamais entendu pareilles sottises. Donnez-moi une vire à flanc de montagne, une charge bien équilibrée, un conducteur dont je serai sûr qu'il me laissera choisir mon chemin, et je suis votre mulet ; mais le reste, non ! dit Billy en frappant du pied.

– Naturellement, dit le cheval, nous ne sommes pas tous faits de la même façon et je vois bien que dans votre famille, du côté paternel, il y a beaucoup de choses qu'on ne saurait comprendre.

– Ma famille du côté paternel ne vous regarde pas, rétorqua Billy en colère, car tous les mulets détestent s'entendre rappeler que leur père est un âne. Mon père était un gentleman du Sud, capable de renverser, de mordre et de mettre en charpie avec ses sabots n'importe quel cheval. Tenez-vous-le pour dit, espèce de gros *brumby* brun ! »

Le mot *brumby* désigne un cheval sauvage dépourvu de manières. Imaginez les sentiments de Sunol si un cheval de tramway le traitait de rosse, et vous aurez une idée de ce qu'éprouvait le cheval d'Australie. Je vis le blanc de ses yeux briller dans l'obscurité.

Les soldats indigènes étaient recrutés dans toutes les provinces de l'Inde, principalement parmi les Sikhs, les Gurkhas, les Pundjabis et les Bengalis. Les hommes étaient très attachés au paiement régulier de leur solde : Kipling chantait dans ses « Ballades de chambrée » : « Shilling a day, what a good pay ! » (Un shilling par jour, quelle belle paie !). Il fallait donc que les fonds suivent la troupe de près. Ici, un véritable coffre-fort ambulant attelé à un équipage de bœufs.

« Dites donc, fils de baudet importé de Malaga, dit-il entre les dents. Je vous apprendrai que je suis apparenté par ma mère à Carbine, vainqueur de la coupe de Melbourne ; et là d'où je viens, moi, on n'a pas l'habitude de se laisser passer sur le ventre par un mulet à langue de perroquet et à tête de cochon, servant dans une batterie de pétoires et de sarbacanes. Êtes-vous prêt ?

– Debout, sur les jambes de derrière ! s'écria Billy d'une voix stridente.

Ils se cabrèrent tous deux, face à face, et je m'attendais à un combat furieux lorsqu'une voix qui gloussait et gargouillait s'éleva de l'obscurité, à droite :

« Enfants, pourquoi vous battez-vous ? Du calme. »

Les deux bêtes retombèrent en renâclant de dégoût, car ni le cheval ni le mulet ne peuvent supporter la voix d'un éléphant.

« C'est Double-Queue ! dit le cheval. Je ne peux pas le souffrir. Une queue à chaque extrémité, ce n'est pas de jeu !

– C'est tout à fait mon sentiment, dit Billy en se pressant contre le cheval pour ne pas se sentir seul. Nous nous ressemblons beaucoup par certains traits.

– Je suppose que nous les avons hérités de nos mères, répondit le cheval. À quoi bon se quereller ? Ohé ! Double-Queue, êtes-vous attaché ?

– Oui, répondit Double-Queue en riant de toute sa trompe. On m'a mis aux piquets pour la nuit. J'ai entendu ce que vous disiez, vous autres. Mais n'ayez pas peur. Je reste où je suis. »

Les bœufs et le chameau dirent presque à voix haute :

« Peur de Double-Queue ? Quelle absurdité ! »

Et les bœufs ajoutèrent :

« Nous regrettons que vous ayez entendu, mais c'est vrai. Double-Queue, pourquoi avez-vous peur des canons lorsqu'ils tirent ?

– Eh bien, fit Double-Queue en frottant l'une de ses jambes de derrière contre l'autre, exactement comme un petit garçon qui récite un poème, je ne suis pas sûr que vous compreniez.

– Nous ne comprenons pas, mais nous devons tirer les canons, répondirent les bœufs.

– Je sais ; et je sais que vous êtes beaucoup plus courageux que vous ne pensez. Mais il en va autrement pour moi. Le capitaine de ma batterie m'a traité de pachyderme anachronique, l'autre jour.

– Il voulait parler de votre façon particulière de vous battre, je suppose ? dit Billy, qui reprenait courage.

– Vous, vous ne savez pas ce que cela signifie, naturellement ; mais moi, je le sais. Cela signifie « entre les deux » et c'est exactement où je me trouve. Je peux voir dans ma tête ce qui va se produire quand un obus éclate ; mais vous, les bœufs, non.

– Moi, si, dit le cheval. Un petit peu, du moins. J'essaie de ne pas y penser.

– J'en vois plus que vous et j'y pense bel et bien. Je sais que, dans mon cas, c'est une grosse masse qu'il faut préserver et je sais que personne n'est capable de me guérir quand je suis malade. Tout ce que l'on sait faire, c'est suspendre la solde de mon conducteur jusqu'à ce que je sois remis, et je ne peux pas me fier à mon conducteur.

Dans un pays dépourvu de routes carrossables et au relief tourmenté, les mouvements de l'artillerie posaient des problèmes souvent insolubles. Pour y remédier, l'armée anglaise s'équipa d'armes légères, dérivées de l'artillerie de montagne en service en Europe, constituée de canons de 2,5 pouces (63,5 millimètres) démontables. Formées d'un fût en deux parties que l'on vissait l'une à l'autre, d'un affût de bois et d'un train de roues, ces pièces étaient transportées à dos d'éléphant. D'une redoutable précision pour l'époque, ces canons semèrent souvent la panique dans les rangs ennemis.

Aux abords des grandes villes indiennes, les généraux en chef de l'armée anglaise établissent leur camp : on peut admirer l'impeccable alignement des tentes dressées.

Si les princes indiens utilisaient les éléphants domestiqués pour le transport de personnes, grâce au *howdah* (siège surmonté d'un dais arrimé sur le dos de l'animal), ces mêmes bêtes en service dans l'armée anglaise furent les précurseurs de nos modernes camions. L'Intendance disposait de très nombreuses bêtes de somme et d'un corps de cornacs pour en prendre soin. Un éléphant pouvait enlever une charge d'une demi-tonne et parcourir près de 30 kilomètres par jour.

– Ah ! fit le cheval. Tout s'explique. Moi, je peux me fier à Dick.

– Des Dick, vous pourriez m'en installer tout un régiment sur le dos sans que je sente le moindre mieux. J'en sais juste assez pour être mal à l'aise, et pas assez pour continuer quand même.

– Nous ne comprenons pas, dirent les bœufs.

– Je le sais. Ce n'est pas à vous que je parle. Vous ne savez pas ce que c'est que le sang.

– Mais si, répondirent les bœufs. C'est quelque chose de rouge dont le sol s'imbibe et qui a une odeur. »

Cela fit piaffer, bondir et renâcler le cheval de cavalerie.

« N'en parlez pas. Je le sens, rien que d'y penser. Cela me donne envie de détaler, alors que Dick n'est pas sur mon dos.

– Mais il n'y a pas de sang ici, dirent le chameau et les bœufs. Pourquoi êtes-vous si sot ?

– C'est quelque chose d'ignoble, dit Billy. Je n'ai pas envie de détaler, mais je n'ai pas envie d'en parler non plus.

– Voilà, vous y êtes ! s'écria Double-Queue, agitant la queue en guise d'explication.

– On y est, assurément. On a passé toute la nuit ici », dirent les bœufs.

Double-Queue frappa du pied si fort que l'anneau de fer qu'il portait se mit à tinter.

« Oh ! mais ce n'est pas à vous que je parle. Vous ne pouvez pas voir à l'intérieur de votre tête.

– C'est vrai. Nous voyons de nos deux paires d'yeux, dirent les bœufs. Nous voyons droit devant nous.

– Si j'en étais capable, et de cela seulement, on n'aurait nul besoin de vous pour tirer les gros canons. Si j'étais comme mon capitaine (il voit les choses dans sa tête avant qu'on commence à tirer, il tremble de tout son corps, mais il est bien trop avisé pour s'enfuir), si j'étais comme lui, je pourrais tirer les canons. Mais si j'en savais aussi long, jamais je ne me serais retrouvé ici. Je serais roi dans la forêt comme avant, je passerais la moitié de la journée à dormir et me baignerais quand je le voudrais. Cela fait un mois que je n'ai pas pris un bon bain.

– Tout ça, c'est bien joli, dit Billy, mais donner à une chose un nom interminable ne l'arrange pas pour autant.

– Chut, fit le cheval. Je crois comprendre ce que veut dire Double-Queue.

– Vous comprendrez encore mieux dans une minute, répliqua Double-Queue en colère. Voyons, essayez donc de m'expliquer pourquoi vous n'aimez pas ça ! »

En raison de leur caractère ombrageux, les éléphants étaient généralement rassemblés, dans les garnisons, à l'écart des autres animaux de bât ou de trait. Ici, leur parc a été aménagé en lisière du camp militaire.

66 Vixen s'arrêta donc pour faire enrager Double-Queue entre ses piquets et se mit à japper en tournant autour des grosses pattes de l'éléphant… **99**

Et il se mit à barrir furieusement, aussi fort qu'il le put.

« Arrête ! », dirent en même temps Billy et le cheval.

Et je pus les entendre frapper du pied et frémir. Le barrit d'un éléphant est toujours déplaisant, surtout par une nuit noire.

« Non, répondit Double-Queue. Vraiment, vous n'allez pas m'expliquer cela ? Hhrrmph ! Rrrt ! Rrrmph ! Rrrhha ! »

Puis il cessa soudain. J'entendis une petite plainte dans l'obscurité et je sus que Vixen m'avait enfin retrouvé. Elle savait aussi bien que moi que s'il est une chose au monde que l'éléphant craint par-dessus tout, c'est un petit chien qui aboie. Vixen s'arrêta donc pour faire enrager Double-Queue entre ses piquets et se mit à japper en tournant autour des grosses pattes de l'éléphant, qui bougea les pieds et poussa des cris aigus.

« Va-t'en, petit chien ! fit-il. Ne me renifle pas les chevilles, ou je te décoche un coup de pied. Brave petit chien… gentil petit tou-tou. Là ! là ! Va coucher, sale petite bête hargneuse ! Oh ! pourquoi ne l'emmène-t-on pas ? Ça y est, elle va me mordre !

– M'est avis, dit Billy au cheval, que notre ami Double-Queue a peur de presque tout. Mais si on me donnait un repas entier pour chaque chien que j'envoie rouler d'un coup de pied à travers la place d'armes, je serais presque aussi gras que Double-Queue. »

Je sifflai et Vixen accourut, toute couverte de boue, me lécha le nez et me raconta une longue histoire comme quoi elle avait parcouru tout le camp à ma recherche. Je ne lui avais jamais révélé que je comprenais le langage des bêtes, sinon elle se serait permis toutes sortes de libertés. Je la pris donc contre ma poitrine, en boutonnant sur elle mon pardessus, tandis que Double-Queue s'agitait, frappait du pied et grommelait en solo.

« Extraordinaire ! Vraiment extraordinaire ! dit-il. Notre famille a cela dans le sang. Mais où est donc passée cette vilaine petite bête ? » Je l'entendis tâtonner avec sa trompe. « Il semble que nous ayons tous nos faiblesses, chacun la sienne, poursuivit-il en se mouchant. Ainsi, vous autres, messieurs, vous étiez en émoi, je crois, lorsque j'ai barri.

– Pas vraiment en émoi, répondit le cheval, mais j'avais l'impression d'avoir un nid de frelons à la place de ma selle. Ne recommencez pas.

– J'ai peur d'un petit chien et le chameau que voici s'effraie de mauvais rêves la nuit.

– Nous avons beaucoup de chance de ne pas avoir à nous battre tous de la même façon, dit le cheval.

– Ce que je voudrais savoir, dit le jeune mulet qui se taisait depuis longtemps, ce que je voudrais savoir, moi, c'est tout simplement pourquoi nous avons à nous battre.

– Parce qu'on nous le dit, répliqua le cheval, en renâclant de mépris.

– Les ordres, dit Billy le mulet en faisant claquer ses dents.

– *Hukm hai* (c'est un ordre)! fit le chameau avec un gargouillement.

Et Double-Queue et les bœufs répétèrent « *Hukm hai!* »

« Oui, mais qui donne les ordres? demanda le mulet fraîchement recruté.

– L'homme qui te conduit; ou que tu portes sur le dos; ou qui tient la longe qu'on te met au museau; ou qui te tord la queue, dirent Billy, le cheval, le chameau et les bœufs à tour de rôle.

– Mais qui leur donne leurs ordres?

– Là, tu veux trop en savoir, blanc-bec, dit Billy, et c'est un bon moyen de t'attirer des coups de pied. Tout ce que tu dois faire,

❝ – Je suis ici, jappa Vixen, sous la flèche du canon… **❞**

203

Ci-dessus, un *tiffin* (repas de fête), regroupant au mess des officiers et des cavaliers du 19ᵉ Régiment de lanciers du Bengale, dernière unité montée pendant la Première Guerre mondiale. Dans l'Inde du Nord, les Sikhs formaient une tribu guerrière redoutable. Après avoir mené une résistance acharnée à la conquête de leur pays, les Sikhs se rallièrent fidèlement aux Anglais et constituèrent plusieurs unités de soldats d'élite (ci-dessous, un sous-officier sikh en tenue de parade).

c'est obéir à l'homme qui te conduit, sans poser de questions.

– Très juste, dit Double-Queue. Je ne peux pas toujours obéir parce que je suis « entre les deux »; mais Billy a raison. Obéis aux ordres de l'homme qui est près de toi, sinon tu arrêteras toute la batterie et tu recevras une bonne rossée de surcroît. »

Les bœufs se levèrent pour partir.

« Il va faire jour, dirent-ils. Nous allons regagner notre campement. C'est vrai que nous ne voyons qu'avec les yeux et que nous ne sommes pas très malins; mais il n'empêche : nous sommes les seuls ce soir à n'avoir pas eu peur. Bonne nuit, les courageux. »

Personne ne répondit et le cheval demanda, pour détourner la conversation :

« Où est le petit chien? Là où il y a un chien, il y a un homme à proximité.

– Je suis ici, jappa Vixen, sous la flèche du canon, avec mon homme. Espèce de gros pataud de chameau, c'est toi, toi, qui as renversé notre tente. Mon homme est très en colère!

– Pouah! firent les bœufs. Ce doit être un Blanc!

– Bien sûr, répliqua Vixen. Vous croyez peut-être que c'est un bouvier noir qui s'occupe de moi?

– Huah! Ouach! Ugh! firent les bœufs. Partons vite. »

Ils s'élancèrent dans la boue et, je ne sais comment, réussirent à flanquer leur joug sur le timon d'un fourgon à munitions, où il se coinça.

« Ça y est, vous avez gagné, dit Billy calmement. Inutile de vous débattre. Vous voilà bloqués jusqu'au jour. Mais Ciel! Qu'est-ce qui vous prend? »

Les bœufs s'étaient mis à renâcler, de la manière prolongée, sibilante, caractéristique du bétail indien. Ils poussaient, se pressaient l'un contre l'autre, pivotaient, piétinaient, glissaient et faillirent tomber dans la boue en grondant furieusement.

« Vous allez vous rompre le cou tout à l'heure, dit le cheval. Qu'est-ce qu'ils ont donc, les Blancs? Je vis bien avec eux.

– Ils mangent… Ils nous mangent! Vas-y! », dit le bœuf de gauche. Le joug se brisa avec un bruit sec et ils s'éloignèrent tous deux pesamment.

Je n'avais jamais compris auparavant pourquoi le bétail indien a une telle frayeur des Anglais. Nous mangeons de la viande de bœuf, chose à laquelle aucun bouvier ne touche; et naturellement cela ne plaît pas aux bêtes.

Fantassin de l'armée du rajah de Jheend (ou Djind), principauté sikh au pied de l'Himalaya.

« Qu'on me fouette avec les chaînes de mon coussinet! Qui aurait cru que deux gros lourdauds de cette espèce pouvaient perdre la tête? dit Billy.

– Peu importe. Je m'en vais jeter un coup d'œil sur cet homme. La plupart des Blancs, je le sais, ont des choses dans leurs poches, dit le cheval de cavalerie.

– Sur ce, je vous quitte. Je ne peux pas dire, moi non plus, que je les aime tellement. En outre, les Blancs qui n'ont pas de lieu où dormir sont presque toujours des voleurs et je porte quantité de choses sur le dos qui sont propriété de l'État. Viens, blanc-bec, nous allons regagner ensemble notre coin. Bonne nuit, l'Australie! On se verra demain à la revue, je suppose. Bonne nuit, vieille balle de foin! Tu tâcheras de maîtriser tes émotions, hein? Bonne nuit, Double-Queue. Si tu viens à passer sur le terrain demain, ne pousse pas de barrissement. Cela met le désordre dans notre formation. »

Billy le mulet s'en alla clopin-clopant, avec le déhanchement crâne des vieux troupiers, tandis que le cheval venait me fourrer ses naseaux dans la poitrine. Je lui donnai des biscuits, et Vixen, qui est la plus vaniteuse des petites chiennes, en profita pour lui

Cipaye – *spahi* – en tenue de campagne.

raconter des menteries sur les dizaines et les dizaines de chevaux que nous avions, elle et moi, à notre charge.

« Je vais à la revue demain dans mon *dog-cart*, dit-elle. Où serez-vous ?

– Sur le flanc gauche du 2e escadron. Je donne la cadence à tout mon peloton, ma petite dame, dit-il avec courtoisie. Maintenant il faut que j'aille retrouver Dick. J'ai la queue pleine de boue et il lui faudra bien deux heures de rude labeur pour me panser avant la revue. »

La grande revue des trente mille hommes au complet eut lieu l'après-midi même. Vixen et moi, nous occupions une bonne place, tout près du vice-roi et de l'émir d'Afghanistan, coiffé de son haut et gros bonnet d'astrakan, qu'ornait au centre la grande étoile de diamant. La première partie de la revue fut tout ensoleillée. Les régiments défilèrent, vagues successives de jambes allant toutes ensemble et de fusils tous alignés, à nous donner le vertige. Puis vint la cavalerie au petit galop, sur le bel air de *Bonnie Dundee*, et Vixen dressa l'oreille sur la banquette du *dog-cart*. Le 2e escadron de lanciers passa à toute vitesse et le cheval de cavalerie parut, la queue comme de la soie filée, la tête ramenée contre le poitrail, une oreille en avant, l'autre rabattue, donnant la cadence à tout l'escadron, d'un mouvement de ses jambes aussi fluide qu'une valse. Vinrent ensuite les canons et je vis Double-Queue et deux autres éléphants, attelés en flèche à un canon de siège tirant les projectiles de quarante livres, suivis de vingt paires de bœufs. La septième paire portait un joug neuf et paraissait plutôt courbatue et fatiguée. Ce furent enfin les canons démontables. Billy le mulet se comportait comme s'il commandait toutes les troupes. Son harnais était si bien huilé et poli qu'il jetait des éclats. Je poussai un « Hourra ! » isolé pour Billy le mulet, mais pas une seule fois il ne regarda, ni à droite, ni à gauche.

La pluie se remit à tomber et pendant un certain temps il y eut trop de brume pour voir ce que faisaient les troupes. Elles avaient décrit un grand demi-cercle dans la plaine et se déployaient sur un

66 Je regardai l'émir. Jusque là, il n'avait pas manifesté l'ombre d'une surprise, ni aucun autre sentiment… **99**

seul front. Ce front s'allongea, s'allongea, et s'allongea encore, jusqu'à couvrir trois quarts de mille d'une aile à l'autre, muraille continue d'hommes, de chevaux et de canons. Alors cette muraille marcha droit sur le vice-roi et l'émir et, à mesure qu'elle approchait, le sol se mit à trembler, comme le pont d'un vapeur dont on pousse les machines.

À moins d'y avoir assisté, on ne peut concevoir l'effet terrifiant de cette avance de troupes sur les spectateurs, même quand ceux-ci savent qu'il ne s'agit que d'une revue. Je regardai l'émir. Jusque-là, il n'avait pas manifesté l'ombre d'une surprise, ni aucun autre sentiment ; mais soudain ses yeux s'arrondirent de plus en plus, il saisit les rênes de son cheval et regarda derrière lui. Un instant, on put croire qu'il allait dégainer son épée et se tailler un chemin à travers les Anglais, hommes et femmes, qui se trouvaient dans des voitures, en arrière. Puis la marche en avant s'arrêta net, le sol ne bougea plus, le front entier des troupes salua et trente musiques se mirent à jouer de concert. La revue était finie ; les régiments regagnèrent leurs campements sous la pluie, tandis qu'une musique d'infanterie attaquait :

> *Les animaux allaient deux par deux,*
> *Hourra !*
> *Les animaux allaient deux par deux,*
> *L'éléphant et l'mulet de batt'rie,*
> *Et tous entrèrent dans l'arche*
> *S'mettre à l'abri de la pluie !*

Peu soucieux de l'opinion, certains princes hindous n'hésitèrent pas à introduire dans leurs fanfares des instruments de musique européens ; le rajah de Chumba disposait même de joueurs de cornemuse *(bag-piper)* portant le kilt et le tartan de clans écossais !

Après quoi j'entendis un vieux chef d'Asie centrale aux longs cheveux grisonnants, venu du Nord avec l'émir, interroger un officier indigène.

« Dites-moi, demanda-t-il, comment a-t-on accompli ce prodige ? »

L'officier répondit :

« Un ordre a été donné et tous ont obéi.

– Mais les bêtes sont-elles aussi averties que les hommes ? demanda le chef.

– Elles obéissent, comme les hommes. Mulet, cheval, éléphant, bœuf, chacun obéit à son conducteur, le conducteur à son sergent, le sergent à son lieutenant, le lieutenant à son capitaine, le capitaine à son commandant, le commandant à son colonel, le colonel à son brigadier avec ses trois régiments, le brigadier à son général, qui obéit au vice-roi, qui est le serviteur de l'impératrice. Et voilà.

– Si seulement il en était de même en Afghanistan ! s'exclama le chef. Car là-bas, chacun de nous n'obéit qu'à lui-même.

– Et c'est pourquoi, reprit l'officier indigène en se frisant la moustache, votre émir, auquel vous n'obéissez pas, doit venir ici prendre les ordres de notre vice-roi. »

Les colonnes de l'armée étaient accompagnées de longs trains de bêtes de somme portant vivres et munitions. Dans les unités d'infanterie (ici, le 20ᵉ Régiment d'infanterie légère du Bengale), les officiers allaient à cheval et la troupe à pied. Les animaux sont conduits par des hommes sans uniforme, des civils qui s'enrôlaient souvent avec leurs propres bêtes, pour un temps déterminé.

CHANT DE PARADE DES ANIMAUX DU CAMP

ÉLÉPHANTS DES ATTELAGES D'ARTILLERIE

Alexandre jadis nous emprunta la puissance d'Alcide,
La ruse de nos genoux, la sagesse de nos fronts lucides.
Nos cous, fléchis pour servir, jamais plus n'ont été libres.
Place, holà ! place aux attelages de dix pieds,
Tirant le train des gros calibres !

BŒUFS D'ARTILLERIE

Ces grands héros dans leurs harnais esquivent les boulets,
Un peu d'odeur de poudre et les voilà tous chamboulés !
Alors, nous entrons en action et les canons de suivre.
Place, holà ! place aux attelages de vingt jougs
Tirant le train des gros calibres !

CHEVAUX DE CAVALERIE

Par ma marque au garrot, l'air le plus entraînant
Que lanciers, que hussards et dragons vont jouant,

À l'oreille plus doux qu'« abreuvoirs », qu'« écurie »,
C'est le canter du cavalier de *Bonnie Dundee.*

Qu'on nous donne du foin, qu'on nous dresse et nous panse ;
Plus un bon cavalier, et assez de distance ;
Qu'on lance l'escadron en colonne ; et voici
Ce que fait le coursier sur l'air de *Bonnie Dundee.*

MULETS DE CANONS DÉMONTABLES

Nous gravissions, mes compagnons et moi, une rude montée.
Le sentier se perdait dans les pierres : nous avons continué ;
Car nous savons nous faufiler, les gars, et surgir en tous lieux.
Nous aimons les hauteurs, disposant d'une ou deux jambes
[de mieux !

Bonne chance alors au sergent qui nous laisse choisir la voie !
Malheur à tous les muletiers qui chargent nos bâts de
guingois !
Car nous savons nous faufiler, les gars, et
surgir en tout lieu.
Nous aimons les hauteurs, disposant
d'une ou deux jambes [de mieux !

CHAMEAUX DE L'INTENDANCE

Nous n'avons pas d'hymne au chameau
Nous entraînant cahin-caha,
Mais un long cou, trombone en peau
(tralalala, trombone en peau !)
Et une marche que voilà :
Non, non et non ! Et non encore !
Prenez-moi ça et transmettez !
Le fardeau d'un chameau a glissé de son dos :
Si seulement ça m'arrivait !

Sheere-Ali Khan – que les Français appelaient Chir-Ali (ci-dessous) – fut émir d'Afghanistan de 1863 à 1879. Monté sur le trône après avoir éliminé de nombreux membres de sa famille, il se fit le champion des visées expansionnistes des Russes et reçut avec éclat l'ambassadeur du tsar. Ceci ne pouvait que déplaire aux Anglais dont la sphère d'influence en Asie se trouvait menacée. Ils en prirent ombrage, envahirent l'Afghanistan en s'emparant de Kandahar (1879) et déposèrent l'émir qu'ils remplacèrent par Abd ur-Rahman dont on connaissait les sympathies pro-anglaises.

Un chargement sur la route s'est renversé…
Vive la halte et l'algarade!
Urr! Yarrh! Grr! Arrh!
Y a quelqu'un qui en prend pour son grade!

TOUTES LES BÊTES EN CHŒUR

Nous sommes les enfants du camp
Où chacun sert selon son rang,
Enfants du joug, de l'aiguillon,
Portant harnais, bâts et pacsons.
Dans la plaine à perte de vue,
Comme une corde détendue,
Voyez notre file ondoyer,
À la guerre pressée d'aller.

Les hommes vont à nos côtés,
Poussiéreux, l'œil lourd, et muets,
Ignorant, comme nous, pourquoi
Marcher et souffrir est la loi.
Nous sommes les enfants du camp
Où chacun sert selon son rang,
Enfants du joug, de l'aiguillon,
Portant harnais, bâts et pacsons.

66 Place, holà! place
aux attelages de
vingt jougs
Tirant le train des
gros calibres! **99**

CRÉDITS PHOTOGRAPHIQUES

REMERCIEMENTS

L'éditeur remercie Philippe Jaudel pour sa participation à la rédaction des légendes.

ÉDITION

Direction : Pierre Marchand
Édition : Cécile Dutheil de la Rochère
Iconographie : Nathalie Bréaud,
Sophie Fougères; Suzanne Bosman (Londres)
Maquette : Karine Benoît
Lecture-correction : Dominique Froelich,
Béatrice Peyret-Vignals

Loi n° 49-956 du 16 julliet 1949
sur les publications destinées à la jeunesse
ISBN : 2-07-058300-7
Numéro d'édition : 131160
Premier dépôt légal : mai 1995
Dépôt légal : juin 2004
Imprimé par Editoriale Lloyd, Trieste, Italie
Relié par Zanardi, Padoue, Italie